D0272014

Hindernissen

In de serie **Heartland**
zijn de volgende delen verschenen:

Alleen verder

Na de storm

Een nieuwe kans

Kiezen

Tweestrijd

Doorbraak

Door het vuur

Overwinnen

Vol vertrouwen

De uitdaging

Hindernissen

Actuele informatie over Kluitmanboeken
kun je vinden op ***www.kluitman.nl***

Hindernissen

Lauren Brooke

2e druk

Met speciale dank aan Gill Harvey.

Voor Gidon Saks, een goede vriend met een groot hart.

Nur 283/G050702

First published by Scholastic Inc., New York
Tekst: Lauren Brooke
Oorspronkelijke titel: *Heartland, True Enough*
Nederlandse vertaling: Sofie de Lint
Omslagontwerp: Nanette Hoogslag

www.kluitman.nl

Bij Koninklijke Beschikking
Hofleverancier

Hoofdstuk 1

„Toe nou, Boxer," zei Amy Fleming. Ze aaide zachtjes over de hals van de kleine, kastanjebruine koudbloed. „Neem nou een paar hapjes..."

Ze hield Boxer een handje biks voor. Hij snoof eraan, maar draaide daarna zijn hoofd weg, zijn ogen dof en ongeïnteresseerd. Amy zuchtte diep. Hij wilde helemaal geen biks en hij had zijn hooinet ook bijna niet aangeraakt. Amy bedacht zich bezorgd dat hij nou al drie dagen niks had willen eten, vanaf het moment dat hij op Heartland was aangekomen.

„Wat is er toch met je aan de hand, Boxer?" Ze kriebelde hem tussen zijn oortjes en keek bedachtzaam naar zijn grote, vriendelijke hoofd. „Kon je maar praten."

Boxer liet zijn hoofd hangen en slofte weg naar de achterste hoek van zijn box. Amy schudde haar hoofd. Ze moest hem nu maar met rust laten en later weer wat nieuws proberen. Ze stapte de box uit, net op het moment dat haar vriendje Ty, een van de stalhulpen op Heartland, het middenpad op kwam lopen.

„Ik heb wat lekkers voor Boxer meegenomen." Ty gaf Amy twee halve appels en een wortel. „Het eerste paard dat dit niet lust, moet nog geboren worden."

Amy glimlachte. „Goed plan."

Ze liep weer op de ruin af, een stuk appel in haar uitgestrekte hand. Tot haar opluchting pakte hij de appel aan en begon er langzaam op te kauwen.

„Brave jongen! Hier is de andere helft."

Maar Boxer luisterde niet meer. Hij liet zijn hoofd weer hangen, met een restje appel nog op zijn zachte lippen.

Amy hield de wortel voor zijn neus, maar ook daar had hij geen aandacht voor.

„Dat wordt niks," zei Amy. „Hij wil gewoon echt niet. Ik denk dat we hem de tijd moeten geven om wat beter te wennen."

„Misschien wel..." Ty fronste zijn voorhoofd. „Maar het is nu al drie dagen zo."

Amy knikte nadenkend. Er waren geen twee paarden hetzelfde. Sommige dieren voelden zich gelijk thuis in een nieuwe stal, andere waren wat langer onrustig na een verhuizing. Maar drie dagen niet willen eten, was wel heel lang. Was er misschien toch nog iets anders met Boxer aan de hand?

Amy schoof de grendel voor de boxdeur, liep met Ty mee de stal uit en pakte het zadel en hoofdstel van haar eigen paard, Storm. De grote schimmel stak zijn hoofd naar buiten en hinnikte opgewonden toen hij haar zag aankomen.

Zijn ogen glinsterden. Amy glimlachte. Wat een verschil met Boxer! Storm was zo vrolijk en levendig. En al die energie zou Amy goed van pas komen in de wedstrijd waar ze zaterdag met hem naartoe wilde.

„Ik ga vandaag eens kijken wat je nou echt in huis hebt," zei Amy, terwijl ze de singel aantrok. „Ik ga de hindernissen nog eens vijf centimeter omhoog gooien. Wat zeg je daarvan?"

Storm brieste en draaide met zijn oren.

Amy grinnikte. Ze nam hem mee naar buiten en steeg op.

Eenmaal in de bak ging Amy hem eerst losrijden. Storm was heel fris en danste over de baan, dus Amy liet hem een hele reeks overgangen rijden om hem geconcentreerd en regelmatig te krijgen. Hij werd al snel rustiger en boog zijn hals om het bit aan te nemen. Amy liet hem over wat lage hindernisjes springen om hem voor te bereiden op het parcours dat ze had uitgezet. Met een vrolijke zwiep van zijn staart huppelde hij er moeiteloos overheen. Amy voelde dat hij er klaar voor was. Ze steeg af, zette Storm even aan het hek vast en verhoogde snel de balken.

Weer in het zadel stuurde ze Storm op de eerste hindernis af en voelde hoe hij trilde van opwinding. Met een explosie van kracht ging het witte paard de lucht in. Zelfs voor zijn achterhoeven van de grond waren, voelde Amy al dat ze de hindernis met gemak zouden halen. Ze kwamen foutloos neer en Amy keek tussen Storms gespitste oortjes door naar de volgende hindernis.

Amy verzamelde de schimmel iets meer. „Rustig maar,

Storm," mompelde ze. Storm kreeg de stijlsprong in de gaten en Amy duwde haar handen een klein beetje naar voren. Met twee krachtige galopsprongen kwamen ze bij de hindernis en Storm vloog er met keurig opgetrokken voetjes overheen. En met net zo veel gemak en souplesse gingen ze ook nog over de strobalen en de eenvoudige oxer.

„Nog maar drie," zei Amy zachtjes. Ze stuurde Storm naar de dubbelsprong. Nog hoog boven het eerste deel van de dubbel concentreerde het paard zich al op het tweede. Amy had amper de tijd om hem terug te nemen of hij zeilde eroverheen. Ze waren op weg naar de laatste hindernis. Storm brieste en schudde zelfverzekerd met zijn hoofd. Ook de laatste hindernis was een peulenschilletje voor hem en Amy's gezicht begon te stralen. Foutloze ronde!

„Wat ben je toch fantastisch!" Ze klopte hem trots op zijn hals en liet hem in draf overgaan. Opeens hoorde ze applaus van de zijkant van de rijbaan. Daar stond Ben Stillman, de andere stalhulp van Heartland.

„Hé, Amy! Dat ziet er goed uit!"

Amy lachte en stuurde Storm naar het hek. „Helemaal te gek!" zei ze trots tegen de lange jongen. „Hij springt echt de sterren van de hemel. Ik kan haast niet wachten tot zaterdag."

„Ik hoop maar dat ik Red tegen die tijd ook zo goed heb."

Amy liet zich van Storms rug glijden en Ben maakte het hek voor haar open. Ze liepen samen terug naar het erf.

Amy en Ben waren allebei van plan deze zomer vaak met hun paarden aan wedstrijden mee te doen. Ben reed al jaren springwedstrijden en hij had grote plannen voor zichzelf en zijn paard, de vos Red. Maar voor Amy lag het allemaal wel een beetje anders. Als ze niet op school zat, was ze bijna elke minuut bezig met de paarden op Heartland. Ze zocht oplossingen voor hun problemen en genas ze van de pijn uit het verleden. Tot aan de zomer had ze met Sundance af en toe aan wedstrijden meegedaan, maar echt serieus was ze nooit geweest.

Maar nu had ze Storm, die zij en haar zus Lou van hun vader hadden gekregen, en Amy werkte zich drie slagen in de rondte om tijd vrij te maken om vaker met hem naar wedstrijden te kunnen gaan.

„Poe, ik ben echt onwijs blij dat het eindelijk vakantie is," zei ze toen ze bij de stallen aankwamen. „Nou kan ik Storm tenminste echt lekker lang droogwrijven, zonder dat ik me schuldig hoef te voelen omdat ik eigenlijk nog werk te doen heb."

Ben grijnsde. „Dat heeft hij zeker verdiend na die superactie van net."

Storm duwde met zijn neus tegen Amy's arm en brieste. „Volgens mij vindt-ie dat zelf ook," lachte Amy.

Tegen de tijd dat Amy klaar was met Storm, vielen er al lange schaduwen over het erf en wierp de avondzon een oranje gloed over de witte, houten boerderij. Amy rende naar binnen voor het avondeten. Opeens merkte ze hoeveel honger ze had. Ze waste haar handen en ging aan de eettafel zitten, waar de anderen al gezellig waren aangeschoven.

„Hoe gaat het met Storm, Amy?" vroeg Jack Bartlett, terwijl hij aardappels op zijn bord schepte.

„Hij loopt echt super, opa! Ik had vanmiddag de hindernissen hoger gezet en hij vloog er gewoon overheen."

„Ik heb het gezien," viel Ben haar bij. „Hij en Amy doen het fantastisch. Volgens mij hebben ze een goeie kans om de springwedstrijd voor junioren te winnen zaterdag."

Amy bloosde bij zo veel lof. Ze wierp een blik op Ty, die warm naar haar glimlachte. Dat was nou echt typisch Ty, dat hij haar zo steunde, terwijl hij zelf geen moer aan wedstrijden vond. Ze hadden nu zo'n zes maanden verkering, maar hij was behalve haar vriendje ook gewoon haar beste vriend.

„Het is maar goed dat school is afgelopen," zei Lou met een frons. „Je ziet er de laatste tijd vreselijk moe uit."

„Je neemt inderdaad wel erg veel hooi op je vork," knikte Jack. „School, het werk hier op Heartland en ook nog die wedstrijden."

„Weet je, ik zat aan de toekomst te denken," zei Lou. „We moeten er goed over nadenken wat er gaat gebeuren als school weer begint. Het is gewoon te veel, als je Storm helemaal in je eentje moet doen."

„Maar de vakantie duurt nog weken!" protesteerde Amy. „En bovendien lukte het me ook best toen ik nog wel naar school moest."

„Maar je zag er toen uit alsof je elk moment kon instorten," hield Lou vol.

Amy keek haar zus aan. Lou had gelijk. Ze had eigenlijk altijd gelijk als het om praktische zaken ging. „Hoe vind je dat we het dan moeten doen?" vroeg Amy, hoewel ze eigenlijk helemaal niet zeker was of ze het antwoord wel wilde horen.

Lou keek een beetje ongemakkelijk en sloeg haar ogen even neer om een worteltje aan haar vork te prikken. Daarna keek ze Amy recht aan. „Nou, eigenlijk... Ik dacht dat ik misschien iets meer zou kunnen helpen met de paarden."

Amy liet stomverbaasd haar mes en vork zakken. Lou kwam helemaal niet graag bij de stallen. Maar voordat Amy iets kon zeggen, praatte Lou al verder. „Ik zie niet hoe jullie het anders gaan redden. Het is wel duidelijk dat je niet meer zo veel kunt werken als je weer naar school moet, Amy. Dat wordt dan echt te veel. En we hebben geen geld om nog een stalhulp in te huren. Dus volgens mij is dit het slimste om te doen."

Amy voelde zich meteen heel schuldig door het gulle aanbod van Lou. Haar zus had het al druk genoeg. Als zij er niet was geweest, zou de zakelijke kant van Heartland echt een zootje zijn. Nadat hun moeder, Marion, vorige zomer was overleden, had Lou er min of meer voor gezorgd dat Heartland niet failliet zou gaan, door haar scherpe oog voor zaken en goeie ideeën voor het verdienen van extra geld. Maar omdat ze zo bang was voor paarden, had ze eigenlijk nooit geholpen in de stallen.

En dan was er nog iets anders. Hun vader, Tim, woonde in Australië en had zijn dochters al twaalf jaar niet gezien, tot een paar maanden geleden. Hij was geschokt toen hij hoorde dat Lou niet meer reed, maar hij had helemaal niet begrepen hoe vreselijk bang ze was. Hoewel hij Storm als cadeau voor allebei zijn dochters had bedoeld, piekerde Lou er niet over op hem te rijden en daar voelde Amy zich best rot over. En nou leek het alsof Storm er ook nog voor zou zorgen dat Lou harder moest gaan werken.

Amy glimlachte een beetje ongemakkelijk naar haar zus. „Onwijs bedankt voor het aanbod, Lou. Maar we redden het wel, heus."

Lou zuchtte. „Nou ja, we zullen zien. Als je weer naar school moet, hebben we vast een beter beeld van hoe het gaat. Maar ik moet toch toegeven dat ik me een beetje zorgen maak. We hebben zelfs een wachtlijst nu."

„Maar die hebben we al eeuwen," zei Amy. „Dat is toch juist een goed teken?"

„Ja en nee. Als mensen te lang moeten wachten, gaan ze zich afvragen waarom we de paarden die hier staan nog niet beter hebben gemaakt."

Jack keek bedachtzaam. „Daar heb je wel gelijk in, Lou. Zijn er paarden klaar om te vertrekken? Wat denk je van Boxer?"

Amy wisselde een bezorgde blik met Ty. Boxer was op Heartland gekomen omdat zijn eigenaresse niet meer voor hem kon zorgen, niet omdat hij een gedragsprobleem had om te verhelpen, ook al leek dat nu niet meer zo zeker.

„Nee, nog niet," zei Amy. „Hij voelt zich niet thuis en hij eet ook niet goed. We kunnen geen nieuw baasje voor hem zoeken voordat hij weer in orde is. En we moeten bovendien ook nog ontdekken wat voor een soort paard hij eigenlijk is, zodat we een passend huis voor hem kunnen vinden."

„Nou, dat is dan misschien iets wat we in gedachten moeten houden als er nog eens zo iemand belt," zei Lou een beetje ongeduldig. „We zijn hier geen handelsstal. En we hebben al genoeg..."

„Weet ik, weet ik," viel Amy haar in de rede.

Amy wist wel wat Lou wilde zeggen. Met Sundance, Red en sinds kort Storm stonden er al genoeg paarden op Heartland die niet behandeld hoefden te worden. Misschien dat Lou de eigenaar van Boxer zou hebben afgewimpeld als zij het telefoontje had aangenomen. Een van de belangrijkste regels op Heartland was, dat elk paard zo snel mogelijk naar een nieuwe eigenaar of terug naar huis moest, om plaats te maken voor nieuwe paarden die hulp nodig hadden.

Tot Amy's opluchting nam Ty het woord. „Ik denk dat er met Boxer wel eens wat meer aan de hand zou kunnen zijn," zei hij. „We gaan er steeds vanuit dat hij zich gewoon nog niet op z'n gemak voelt, maar eigenlijk zou dat niet zo lang mogen duren."

„Hij is hier op zondag gekomen, toch?" vroeg Jack. „Dat is drie dagen geleden. Dan zou je verwachten dat hij nu wel gewend zou moeten zijn."

„Ja." Ty knikte. „En het is niet alleen dat hij niet goed eet, maar hij is ook lusteloos. Zijn ogen staan zo dof."

„Misschien is er wel iets dat Ruth je niet heeft verteld, Amy," zei Jack.

Amy dacht even na. Ruth Adams, de eigenaresse van Boxer, had er een beetje omheen gedraaid aan de telefoon. Ze had alleen maar gezegd dat ze het vreselijk druk had met haar werk en dat ze daarom de verzorging van Boxer niet meer aankon. Ze had gehoord dat Heartland een goed opvangtehuis was voor paarden. Amy had geprobeerd om te vragen waarom Ruth hem niet zelf verkocht, maar Ruth was haar in de rede gevallen. „Hij is me gewoon te veel," had ze gezegd. Ze had een beetje hulpeloos geklonken en Amy had maar toegegeven.

Ze knikte. „Misschien is er inderdaad nog wel iets meer aan de hand," zei ze met een frons.

„Heeft Scott al naar hem gekeken?" vroeg Lou. Scott was de plaatselijke veearts en het vriendje van Lou.

„Nog niet."

„Nou, hoe eerder hij Boxer een gezondheidsverklaring geeft, hoe eerder we een fijn nieuw huis voor hem kunnen zoeken."

„Dat weet ik ook wel," zei Amy, een beetje geïrriteerd. Natuurlijk had Lou gelijk. Maar ze bleef maar die arme, verdrietige Boxer voor zich zien en ze had het donkerbruine vermoeden dat het allemaal niet zo makkelijk zou gaan…

Na het eten gingen Ty en Amy naar buiten voor hun laatste ronde door de stallen. In de warme zomernacht twinkelden de sterren helder aan de hemel. Het was stil op het erf, met alleen het zachte geluid van paarden die op hun hooi knabbelden.

Amy liet Ty de voorste stallen controleren en ging zelf naar het voerhok om wat alsem in heet water te laten trekken. Ze maakte zo een drankje voor Boxer waarvan ze hoopte dat het zijn eetlust zou verbeteren. Ze mengde het door een emmer met wat voer en liep naar het achterste stalgebouw. Alle paarden waren stil, maar sommige briesten zachtjes toen ze merkten dat ze binnenkwam. Ze stapte de stal van Boxer in en zette de emmer voor hem neer.

Weer buiten de box leunde ze bezorgd over de staldeur. Ty kwam bij haar staan en sloeg zijn arm om haar heen. Amy legde haar hoofd op zijn schouder en samen keken ze naar Boxer, die aan de emmer snuffelde. Hij nam een klein hapje, maar draaide daarna zijn hoofd weg.

„Dat werkt dus ook al niet, hè?" merkte Ty zachtjes op.

Amy schudde haar hoofd. Was er dan niks waarmee ze hem aan het eten kon krijgen? Een warm zomerbriesje kwam door de open deur het stalgebouw in en opeens kreeg ze een idee. „Misschien is-ie eraan gewend dat hij veel vaker de wei in mag, zeker in de zomer."

„Zou kunnen," knikte Ty. „Paarden houden sowieso meer van gras dan van hooi."

„Laten we hem dan morgen meteen buiten zetten, dan kunnen we zien of dat helpt."

„En ik zal morgenochtend ook Scott bellen," zei Ty. „Ik hoop maar dat er niks ernstigs aan de hand is."

Ze liepen zwijgend het gangpad af. Ty hield zijn arm om Amy's schouders, waardoor ze helemaal warm werd van binnen. Ondanks alle moeilijkheden die ze het afgelopen jaar hadden gehad, waren zij en Ty langzaam naar elkaar toe gegroeid. Het was een fijn gevoel dat ze elkaar zo goed aanvoelden, zeker als het om het behandelen van paarden ging.

Bij de schuurdeur gekomen keek Amy nog even om naar Boxer. Ze vond het echt rot als een paard zo ongelukkig was.

Ty schudde zijn hoofd. „Maak je nou maar geen zorgen," zei hij zacht, alsof hij haar gedachten had gelezen. „Het komt wel goed met hem."

Amy glimlachte zwakjes. Ze hadden al zo veel paarden genezen op Heartland, maar het kon natuurlijk altijd gebeuren dat ze er een kregen waarbij het niet zou lukken. „Ik hoop het maar."

Hoofdstuk 2

„Rustig maar, Red," mompelde Ben. Hij leidde zijn paard naar de laadklep van de trailer. „Brave jongen."

Storm hinnikte vanuit de trailer opgewekt naar zijn maatje en Red klepperde naar binnen. Het was zaterdagochtend. Nu Storm en Red veilig in de trailer stonden, konden Amy en Ben vertrekken.

„Gaan jullie ervan tussen?" Ty kwam het voerhok uitlopen.

Amy knikte.

„Ik ga m'n best doen om hier op tijd klaar te zijn, zodat ik je kan zien springen," zei Ty. „Standbridge is volgens mij maar twintig minuten rijden."

„Dat zou ik te gek vinden," zei Amy zacht en ze stapte in naast Ben, die de motor startte.

Ty stak zijn hand op. „Tot straks!"

Op het wedstrijdterrein was het al een drukte van belang toen Ben de trailer parkeerde. Amy sprong uit de auto en rende naar achteren om de klep open te maken. Storm stond met gespitste oortjes en glimmende ogen om zich heen te kijken. Hij rook de opwinding in de lucht. Het paard vond niks heerlijker dan wedstrijden.

„Je kan haast niet wachten, hè?" lachte Amy. Ze zette Storm naast de trailer vast en ging op zoek naar de inschrijftent om hun startnummers op te halen.

„Jouw eerste ronde is al heel snel," zei ze tegen Ben toen ze terugkwam. Ze gaf hem zijn startnummer. Ben had Red al opgezadeld en was klaar om te gaan losrijden.

„Dat dacht ik al. Bedankt, Amy. Tot zo!"

Hij reed weg en Amy draaide zich om naar Storm. „Ik zal jou ook maar eens gaan losrijden," zei ze tegen de witte ruin, die met zijn staart zwaaide en ongeduldig met zijn hoef over het gras schraapte. „Ik weet dat je staat te trappelen."

Ze zadelde hem op en draafde met hem naar de losrijring. Storms oortjes gingen naar voren toen hij de oefenhindernissen zag. Hij danste van opwinding, maar Amy merkte het niet eens. Ze werd afgeleid door iemand die ze zag, Ashley Grant.

Ashley zat bij Amy in de klas. Ze was heel mooi en stinkend rijk en ze vond wat Amy op Heartland deed drie keer niks. Haar moeder, Val, had een wedstrijdstal die Green Briar heette. Daar gebruikten ze hele andere methodes dan op Heartland, om superbrave robotpaarden af te richten. Ashley deed het altijd erg goed bij wedstrijden en reed sinds kort in een hogere klasse. Daarom had Val Bright Magic, een veelbelovende Deense warmbloed, voor haar gekocht. Ze zouden vandaag aan dezelfde wedstrijd meedoen als Amy en Storm, en Amy wist dat het zeker niet makkelijk zou worden om van ze te winnen.

Ashley stuurde Bright Magic net over de oefenhindernissen. Haar steile, blonde haar was in een net knotje gebonden en haar kleren zagen er, zoals altijd, onberispelijk uit. Zij en de schitterende vos vormden een supermooie combinatie. Maar tot Amy's verbazing ging het springen niet zo vlekkeloos.

De oefenhindernissen stonden heel hoog, eigenlijk veel hoger dan Amy verstandig vond bij het losrijden. Met Storm was Amy van plan zijn spieren op te warmen en hem vertrouwen te geven, niet om hem gelijk moeilijke dingen te laten doen. Maar Ashley pakte het duidelijk anders aan. Misschien was het wel haar moeders idee, want Val stond naast de ring aanwijzingen te schreeuwen, terwijl Ashley met Bright Magic over de hindernissen ging.

Amy reed een stukje naar ze toe en liet Storm verbaasd halthouden. Ze zag nu dat Bright Magic een heel scherp bit met een kinketting in had en ook dat hij een korte vaste springteugel om had. Ashley stuurde net op de eerste hindernis af en de vos stormde wild naar voren. Ashley, die anders zo koel was, had nu duidelijk moeite om hem onder controle te houden. Het paard gooide zich blind over de hindernis. Val schreeuwde woedend nog meer instructies en Ashley gaf Bright Magic een tik met haar zweepje. Het lukte haar eindelijk om hem een beetje te verzamelen en ze stuurde hem naar de volgende sprong. Het paard rukte aan de teugels en scheurde veel te hard naar de hindernis. Weer zette hij wild af en maakte een enorme sprong.

Amy trok haar wenkbrauwen op. „Nou, hij kan inderdaad vreselijk goed springen," zei ze zachtjes tegen Storm en ze klopte hem op zijn hals. „Maar hij kijkt er absoluut niet vrolijk bij."

Ze reed naar de andere kant van de losrijring en ging voltes en achtjes draven. Zo kreeg ze Storm mooi in evenwicht en aan de teugel. Net toen ze hem rustig en ontspannen over een paar lage hindernissen liet gaan, hoorde ze een bekende stem achter zich.

„Durf je alleen maar die kleine huppeltjes aan, Amy?" Ashley kwam langs op Bright Magic. „Ik heb altijd al geweten dat je bang bent voor het echte werk. Jullie hebben gewoon geen winnaarsmentaliteit op Heartland."

Amy was niet verbaasd over Ashley's uitbarsting, ze had het al vaak genoeg meegemaakt. Ze keek Ashley even na en haalde toen haar schouders op.

„Laten we haar maar negeren, hè jongen," zei ze tegen Storm, die één oor naar haar toe draaide. „Ze is het gewoon niet waard."

Terug bij de trailer zette Amy Storm vast en ze rende naar de hoofdring waar Ben in de M-klasse ging starten. Hij had het de laatste weken erg goed gedaan en was van de L naar de M gegaan.

Amy vond een goed plekje aan het hek, net toen Ben naar binnen reed. De bel ging en hij galoppeerde op de eerste hindernis af. Amy vond dat Red er heel goed uitzag.

„Hup, Ben!" gilde ze. De hindernissen op dit niveau waren echt enorm, maar Amy wist dat ze het konden. Ben had een vastberaden blik in zijn ogen en Amy balde haar vuisten, terwijl hij sprong na sprong foutloos nam.

Red trok zijn voeten hoog op over de laatste hindernis en Amy gooide haar armen in de lucht. Het was ze weer gelukt! Ze sprintte naar de uitgang om ze op te wachten, waarna ze samen terugliepen naar de trailer.

„Was hij niet geweldig?" zei Ben. „Ik hoop dat Storm net zo goed in vorm is."

„Nou, dat zullen we zo zien. De klasse voor junioren is al begonnen. Ik moet over een minuut of twintig."

Storm stelde haar niet teleur, hij liep net zo goed als Red. Kalm en gehoorzaam galoppeerde hij zonder angst op alle hindernissen af en maakte een foutloze ronde. Het leek erop dat het een goede dag zou worden voor Heartland.

„We hebben even de tijd, voor onze volgende rondes beginnen," zei Ben. „Ik haal wel een paar hamburgers."

„Lekker," knikte Amy. „Ik ga naar de rest van de ruiters in mijn klasse kijken, goed?"

Toen Ben weer bij haar kwam staan aan het hek van de ring, moest Ashley net met Bright Magic beginnen. De vos leek nog net zo onrustig als hij bij het losrijden was geweest, het was zelfs nog wat erger geworden. Het schuim stond op zijn hals en hij rukte aan de teugels. Telkens als hij het zweepje zag in Ashley's rechterhand, rolde hij angstig met zijn ogen. De bel ging en Ashley stuurde hem op de eerste sprong af. Bright Magic gooide zijn hoofd in de lucht en Ashley kon hem maar net in bedwang houden. Toen ze haar handen naar voren deed, spoot hij vooruit en gooide zich wild over de hindernis. Ashley keek zwaar gefrustreerd en haar anders zo hooghartige gezicht was helemaal rood. Ze klapte haar zweep tegen zijn flank en trok hem om naar de volgende hindernis. Daar gebeurde weer precies hetzelfde. Bright Magic stormde naar voren en sprong veel te hoog, waardoor hij steeds meer uit balans en over zijn toeren raakte.

Amy beet op haar lip. Wat had ze een medelijden met Bright Magic. Ze vond het vreselijk als een paard zo ongelukkig was bij het springen, wie er ook op zat. Ze dacht aan hoe soepel en opgewekt Storm had gesprongen, dat was echt een wereld van verschil.

„Volgens mij gaat dat niet goed," zei ze zacht tegen Ben.

„Weet je wat er volgens mij aan de hand is? Dat paard is helemaal over z'n toeren."

Er waren nu nog maar twee hindernissen te gaan en Ashley en Bright Magic sprongen nog steeds foutloos. De op een na laatste hindernis, de muur, stond aan de rand van de ring, precies voor de neuzen van Amy en Ben. Het was niet echt een moeilijke sprong, maar je moest er zorgvuldig op af rijden, omdat er geen grondbalk voor lag en het paard dus niet kon zien waar hij moest afzetten.

De vos denderde hijgend op de hindernis af. Ashley trok met een rood hoofd aan de teugels om hem rustig te houden tot twee of drie passen voor de hindernis. Ze liet hem gaan en Bright Magic sprong, zoals hij altijd deed, wild naar voren. Opeens, één pas voor de plek waar hij moest afzetten, remde hij abrupt, zijn achterbenen glippend onder zijn lijf.

Ashley, die weer zo'n reuzensprong verwachtte, zat al helemaal naar voren in het zadel. Ze vloog over Bright Magics hoofd en knalde met een akelige klap tegen de muur aan. Er klonken geschrokken kreten uit het publiek. Amy dook in een reflex onder het hek door en greep Bright Magic bij zijn teugels. „Ashley!" riep ze, terwijl de baanofficials al bezorgd naar de muur renden. „Gaat het?"

Ashley krabbelde moeizaam overeind. Ze was zo wit als een doek, maar het leek alsof ze niet gewond was. Terwijl de officials snel de muur weer opbouwden, strompelde ze terug naar haar paard. Amy had eigenlijk verwacht dat Ashley de teugels uit haar handen zou grissen en zonder een woord van dank weer op zou stijgen. Maar toen Ashley haar hand uitstrekte om het paard over te nemen, trilde die en keek ze naar de grond.

Amy stapte achteruit en dook weer onder het hek door. Het publiek keek met ingehouden adem naar Ashley. Zou ze verder rijden, na zo'n val? Ze bleef even stil staan, haar voorhoofd tegen Bright Magics hals gedrukt. De seconden tikten voorbij. Het was wel duidelijk dat ze niet meer op zou stijgen. Een van de officials liep naar haar toe en nam voorzichtig de teugels van haar over. Ashley protesteerde niet. Een andere official pakte haar bij haar arm, en paard en ruiter werden de ring uitgeleid. Ze kregen een medelevend applaus.

„Volgens mij is ze in shock," fluisterde Amy tegen Ben. „Dat was echt een ontzettende klap."

„Ja, het zag er heel pijnlijk uit."

„Dat paard heeft het echt helemaal gehad. En ik geef hem gelijk."

„Anders ik wel."

„Eh… Ben? Ik weet dat het Ashley is en zo, maar ik wil toch even kijken of het goed met haar gaat."

„Typisch weer iets voor jou," grinnikte Ben. „Ik ga wel met je mee."

Ze zochten hun weg door de menigte naar de ingang van de ring. Een eindje verderop stonden Bright Magic, Ashley en haar moeder. Val stond te koken van woede.

„Weet je wel hoeveel dat paard me heeft gekost?" schreeuwde ze. „Je had toch ten minste het parcours kunnen afmaken?"

Amy en Ben bleven als aan de grond genageld staan. Ashley keek met gebogen hoofd naar de grond en haar moeder rukte de teugels uit haar handen.

„Schiet op," snauwde Val. „Klim op dat paard en neem die oefensprongen. Ik kan die lafheid niet uitstaan. Denk maar niet dat je er zo makkelijk van afkomt, na die aanfluiting van daarnet!"

Ashley keek op. Ze leek nu zelfs nog bleker dan toen ze er net af was gevallen. Ze zei niks, maar schudde vol wanhoop smekend haar hoofd. Val stapte naar haar toe en zwaaide dreigend met de teugels. „Klim – op – dat – paard!" Haar ogen schoten vuur.

Amy had Ashley nog nooit zo verslagen gezien. Ze had

een hand voor haar ogen geslagen en haar schouders schokten. „Ik... ik kan het niet," hoorde Amy haar met bibberende stem zeggen.

Het gemene gedrag van Val vulde Amy opeens met kwaadheid. Ashley was toch duidelijk veel te erg geschrokken om nu te kunnen rijden! Ze stond zelfs te trillen op haar benen. Waarschijnlijk zou ze het beste even kunnen gaan liggen.

„Kan niet, bestaat niet," beet Val haar dochter toe. Ongeduldig sprong ze zelf op de rug van de vos en stuurde hem naar de losrijring. Ashley bleef alleen achter.

„Wat een heks!" mompelde Ben.

„Zeg dat wel."

Ze zagen hoe Ashley haar moeder achterna probeerde te gaan. Maar ze struikelde steeds, zo onvast stond ze op haar benen.

„Er is iets helemaal niet goed met haar!" riep Amy uit. „Ben, volgens mij moeten we haar onmiddellijk naar de eerste hulp brengen."

Ze renden achter Ashley aan en Amy greep haar bij haar arm.

„Het... het gaat wel," zei Ashley met een klein stemmetje. Ze viel bijna flauw.

„Ik dacht het niet," zei Amy resoluut.

Ben pakte Ashley's andere arm en samen brachten ze haar naar de eerstehulppost aan de andere kant van de ring. Een verpleegster deed de deur open en Amy vertelde vlug wat er was gebeurd. Algauw lag Ashley op een stretcher.

„Maar m'n moeder..." stamelde ze.

„Maak je maar niet druk," zei Amy. „Wij zullen haar wel vertellen dat je hier bent."

De verpleegster glimlachte naar Ashley. „Het lijkt erop dat je een hersenschudding hebt. We nemen je mee naar het ziekenhuis voor controle. Maar het kan ook zijn dat je alleen een beetje door elkaar bent gerammeld. Wat het ook is, het is niet ernstig. Gewoon een tijdje rust houden."

Ashley knikte en liet haar hoofd weer op het kussen zakken.

„Wij gaan je moeder wel zoeken, Ashley," zei Amy.

Ashley keek haar even aan, maar deed daarna haar ogen weer dicht. „Bedankt," zei ze met tegenzin.

Ben en Amy gingen terug naar de losrijring, waar Val net met Bright Magic in een vlotte draf uit kwam rijden. Amy riep haar. Val hield in, haar gezicht nog steeds op onweer.

„Ashley is bij de eerstehulppost," vertelde Amy haar kortaf.

Val fronste. „Eerste hulp? Wat moet ze daar nou weer?" Zonder op antwoord te wachten reed ze verder.

Amy staarde haar met open mond na. „Ik zal dat mens echt nooit begrijpen."

Val reed naar de plek waar de paardenwagens van Green Briar stonden. Een van de stalhulpen haastte zich naar haar toe om het paard aan te pakken. Amy herkende hem opeens. Het was Daniël Lawson.

Amy had Daniël nog niet zo lang geleden leren kennen bij een wedstrijd, waar hij met Amber was, zijn talentvolle merrie. Hij had heel veel succes gehad, tot het noodlot toesloeg en hij Amber moest laten inslapen na een ongeluk. En alsof dat nog niet erg genoeg was, was hij ook nog ontslagen. Gelukkig vond hij tenslotte een baan bij Green Biar. Hij had geen andere keus gehad.

Val steeg af, mikte de teugels naar Daniël en stampte weg in de richting van de eerstehulppost. Daniël klopte het bezwete paard kalmerend op de hals.

„Ben, ik ga even Daniël gedag zeggen," zei Amy.

Ben keek op zijn horloge. „We hebben eigenlijk geen tijd. De eerste ronde van de klasse voor junioren is net klaar, dat riepen ze om."

„Maar ik heb hem niet meer gesproken sinds hij bij Green Briar is begonnen..." Nu Amy erover nadacht, voelde ze zich daar best schuldig over. Ze keek om naar Daniël, die net achter een van de wagens verdween. Ze twijfelde, maar ze wist dat Ben gelijk had. Ze zou later wel naar Daniël gaan. Ze haastten zich terug naar Storm en Red.

„Ik weet niet of ik tijd heb om te kijken, want we moeten vlak na elkaar," zei Ben, toen Amy weer in het zadel zat, „maar heel veel succes!"

„Bedankt. Als ik klaar ben, ren ik gelijk naar jouw ring."

Amy zette het gedoe met Ashley uit haar hoofd en reed met Storm naar de losrijring. Daar reed ze voltes en overgangen met hem. Hij liep als een zonnetje, wel een beetje gespannen voor de wedstrijd, maar toch braaf reagerend op de hulpen. Ze reed naar de wedstrijdring om te zien hoe het met de tweede ronde ging. Er moesten nog maar twee deelnemers voor haar, dus liet ze Storm wat rondstappen om hem warm te houden.

Opeens zag Amy een bekend persoon op zich af lopen. „Ty!" Ze dreef Storm in draf aan.

Ty lachte. „Hoi! Hoe gaat-ie?"

„Foutloos in de eerste ronde. En Ben ook. Ik moet over een minuut of tien weer."

Ty aaide Storm over zijn hals. „Goed, zeg. Laat hem maar niet te veel afkoelen, ik ga wel een plekje zoeken op de tribune."

Amy keek hem met een glimlach aan. „Ik ben blij dat je er bent, Ty."

Het parcours voor de barrage bestond uit slechts zeven hindernissen, maar ze waren wel een stukje hoger gemaakt. Amy reed met een goed gevoel de ring in. Ze zette Storm in een snelle galop aan en stuurde hem naar de eerste sprong, een oxer. Storm spitste zijn oortjes en vloog er moeiteloos overheen. Amy grijnsde, dit werd leuk. Ze bleef aandrijven en liet Storm zo hard galopperen als ze durfde, zonder hem uit zijn evenwicht te brengen. Het allerbelangrijkste was om foutloos te blijven.

Toen ze na de laatste hindernis landde en het applaus van de tribune hoorde, wist Amy dat het gelukt was.

„Dat was nummer 431, Amy Fleming met Summer Storm," klonk het uit de luidsprekers. „Foutloze ronde met een tijd van tachtig seconden."

Amy grijnsde van oor tot oor. Met zo'n tijd zou ze zeker bij de eerste drie rijden, ook al won ze misschien niet het oranje lint. Ze draafde de ring uit, waar Ty al op haar stond te wachten.

„Goed gedaan!" zei hij met een lach.

„Ik niet, dat was Storm," lachte Amy terug. „Hij vindt het echt super." Ze steeg af en stak haar stijgbeugels op. „Volgens mij was dat de snelste tijd tot nu toe. Maar er moeten nog veel ruiters. Ik zou het al te gek vinden als we bij de eerste drie zitten. Zullen we naar de andere ring gaan om Ben te zien rijden?"

Ze waren net op tijd. De hindernissen in de M-klasse stonden nu echt heel hoog en er was nog maar een handjevol ruiters foutloos. Ben en Red wierpen zich vol enthousiasme op het parcours, misschien wel iets té enthousiast. Ze denderden met een sneltreinvaart door de ring en het publiek hield de adem in. Maar bij de een na laatste hindernis sprong Red door de snelheid iets te vlak en hij raakte nog net een balk met zijn achterhoeven. Vier strafpunten, maar Ben keek niet eens heel erg teleurgesteld toen hij de ring uit kwam.

„Ach ja, het kan niet altijd goed gaan," zei hij later tegen Ty en Amy. Ze liepen met z'n drieën terug naar de ring waar de juniorenklasse werd gereden. „Het is al heel wat om in de barrage te komen en we zitten nog niet zo lang in de M. Het lijkt erop dat ten minste een van ons met een rozet naar huis gaat!"

Ze zagen dat er maar één andere deelnemer sneller was gegaan dan Amy en er moesten er nog twee. Ze keken gespannen naar de eerste, een jongen van Amy's leeftijd op een zwartbont paard. Ze maakten een zootje van het parcours en eindigden met elf strafpunten, twee balken eraf en een weigering.

„Dat die door de eerste ronde zijn gekomen," zei Ben hoofdschuddend. „Dat was dan vast een toevalstreffer. Nou ben je minstens derde, Amy."

Amy knikte, haar buik vol vlinders. Ze keken naar de laatste ruiter, een meisje met een vastberaden trek om haar mond op een Trakehner-kruising die er supersnel uitzag.

„Zo, die zien er gevaarlijk uit," mompelde Ben. „Daar krijg je nog een hele dobber aan."

Hij had gelijk. Het paard sprong goed en het meisje won waar ze maar kon tijd door hele krappe wendingen te maken. Vanaf het begin leek het erop dat ze foutloos zouden gaan en er viel inderdaad geen enkele balk.

„Dat was nummer 567, Jessica Bailey op Mahogany," zei de omroeper. Het publiek applaudisseerde. „Een foutloze ronde in een tijd van vijfentachtig seconden."

„Amy! Het is je gelukt!" riep Ben uit. „Je bent tweede!"

Amy was apetrots. Toen ze de ring weer in reed voor de prijsuitreiking, zwaaide ze naar Ty en Ben. Ben zwaaide uitgelaten terug, Ty stond rustig glimlachend naast hem.

„Ga jij maar met Ty mee, Amy," drong Ben later bij de trailer aan. „Ik vind het niet erg om de paarden alleen naar huis te rijden."

„Bedankt, Ben. Tot straks."

Amy en Ty hobbelden met de auto weg, met Ben in de trailer erachteraan. Eenmaal op de weg konden ze sneller rijden en verloren ze Ben al snel uit het oog.

„Scott is vanochtend langs geweest voor Boxer," vertelde Ty. „Hij zei dat er lichamelijk niks mis met hem was."

„Nou, dan moeten we zelf uitzoeken wat er aan de hand is," zei Amy peinzend. „We kunnen nu geen nieuw tehuis voor hem zoeken, niet als hij nog niet helemaal oké is."

Ty knikte. „En bovendien, wie wil er nou een paard dat er zo zielig bij staat?"

Amy zuchtte en staarde uit het raam. Ze begreep niks van de manier waarop Ruth Adams Boxer weg had gedaan. Amy wist maar al te goed hoeveel tijd een paard kostte en dat het erg moeilijk kon zijn voor eigenaren die het heel druk hadden om die tijd voor hun paard vrij te maken. Maar Ruth was Boxer niet eens zelf komen brengen. Ze had een buurman gevraagd om hem met de trailer mee te nemen, alsof ze niet kon wachten tot hij weg was.

Wat een verdrietig idee was dat, dat een paard zo harteloos werd weggedaan. Die arme Boxer. Amy nam zich voor om de volgende dagen meer aandacht aan hem te besteden. Wat was het toch heerlijk om vakantie te hebben. Ze glimlachte in zichzelf. Ze had nu ook meer tijd voor Ty.

Op dat moment merkte ze dat ze langs Ty's huis reden. Amy bedacht zich opeens wat. „Ty," zei ze impulsief, „waarom gaan we niet even bij je ouders langs? Ik wil ze graag ontmoeten."

Ty keek haar verbaasd aan. „Mijn ouders ontmoeten?"

„Ja, waarom niet?"

Amy kon aan Ty's gezicht zien dat hij het niet zo'n goed idee vond. Hij lachte een beetje ongemakkelijk en keek op zijn horloge. „Ik denk dat het nu niet zo goed uitkomt. We moeten op tijd terug zijn om te voeren."

„Maar we hoeven toch ook niet zo lang te blijven?" Amy keek Ty onderzoekend aan, maar hij antwoordde niet. „Heb je... ze over ons verteld, Ty?"

Ty schoof heen en weer in zijn stoel. „Tuurlijk," zei hij kortaf, zijn ogen strak op de weg gericht. Daarna keek hij op en hij lachte onzeker. „Ik vind het gewoon niet zo'n goed idee om onverwachts binnen te vallen, oké? Misschien een andere keer?"

„Best, hoor."

Er viel een vervelende stilte. Amy zat te balen. Waarom wilde Ty haar niet aan zijn ouders voorstellen? Schaamde hij zich soms voor haar of zo? Ze was er altijd van uitgegaan dat hij trots op haar was en dat als er al iemand twijfels had, zij dat dan was, niet Ty.

Ze probeerde een andere manier te vinden om het onderwerp ter sprake te brengen, maar ze kon zo snel niks bedenken. Toch had ze het vage vermoeden dat Ty helemaal niet zat te springen om haar mee te nemen...

Hoofdstuk 3

„Ik ga weer op Dancer," zei Lou de volgende dag. Ze had het zadel al in haar handen. „Ze helpt me om mijn vertrouwen weer terug te krijgen."

„Prima," zei Amy. „Ik neem Major. Hij bokt al bijna niet meer en een buitenritje zal hem goed doen."

Het was een prachtige, zomerse zondagmiddag en Lou had besloten met Amy mee te gaan voor een buitenrit. Amy keek toe hoe ze Dancer opzadelde en daarna opsteeg. Lou was pas een paar weken geleden weer voor het eerst op een paard gaan zitten, maar Amy vond dat ze er al een stuk zelfverzekerder uitzag.

Ze stapten over de oprijlaan en langs de weilandjes waar veel van de paarden van Heartland stonden te grazen. Amy keek om zich heen, met haar hand boven haar ogen tegen de zon. Op het landje aan de linkerkant stond Storm blij naast zijn maatje Sugarfoot, een piepkleine shetlander. Vanaf het moment dat Storm op Heartland was gekomen, waren hij en Sugarfoot onafscheidelijk geweest ondanks het verschil in grootte. Een eindje verderop stonden Red, Jasmine en Spring samen te grazen.

Eén paard stond apart van de andere, in een hoekje van de wei. Het was Boxer. De koudbloed was helemaal in zijn eentje en liet zijn hoofd hangen. Amy liet Major halthouden. Terwijl ze naar hem keken, verplaatste Boxer zijn gewicht van zijn ene achterbeen naar het andere, maar verder vertrok hij geen spier.

„Hij wil niet eens grazen," merkte Lou op.

„Nee, en hij is hier nu al een hele week," zuchtte Amy.

„Maar zei Scott niet dat hij helemaal gezond was?"

Amy knikte en dreef Major weer aan. „Er moet toch een reden zijn waarom hij hier niet kan wennen," peinsde ze. „Ik zal Ruth Adams eens bellen."

Toen Amy en Lou terugkwamen van hun buitenrit, ging Amy meteen naar binnen om Ruths telefoonnummer op te zoeken. Ze toetste het in op de telefoon en wachtte.

„Hallo, met Meadowbridge," zei een stem.

„Hallo, Ruth? Met Amy Fleming van Heartland. Ik wilde u wat vragen over Boxer."

„Waarom? Er is toch niks mis?"

„Dat weten we eigenlijk niet zeker. Zou u me misschien wat meer over hem kunnen vertellen? Hij wil hier maar niet wennen."

„Is dat alles?" Ruth klonk opgelucht. „Nou, ik weet zeker dat er niks met hem aan de hand is. Hij was helemaal gezond toen hij hier wegging."

„Maar het duurt anders nooit zo lang voor een paard zich hier thuisvoelt," drong Amy aan. „Daar moet toch een goede reden voor zijn?"

„O, hij zal Hank wel een beetje missen," wuifde Ruth haar woorden weg. „Dat is mijn vader. Boxer was van hem."

Daar keek Amy van op. Ruth had het nooit over haar vader gehad. Ze zocht naar woorden, want ze had het gevoel dat Ruth haar probeerde af te poeieren. „Weet uw vader dat Boxer hier op Heartland is?"

„Ja, natuurlijk," antwoordde Ruth, iets te snel. „Maar hij heeft al een poos niet gereden. Het was tijd voor Boxer om te gaan. Het spijt me, maar ik moet nu eigenlijk weg..."

„Ja, maar..." zei Amy wanhopig. „Waren ze vaak bij elkaar?"

„Wie? Hank en Boxer?" Ruth lachte zenuwachtig. „Nou ja, net als andere paarden en hun eigenaren, denk ik. Maar ik moet nu echt gaan..."

„Maar..." begon Amy. Het was al te laat, Ruth had de verbinding verbroken.

Amy staarde fronsend naar de telefoon. Waarom had Ruth dat niet eerder verteld, van haar vader? „Hij is me gewoon te veel," dat was alles wat ze over Boxer had gezegd. Maar hoe bedoelde ze dat eigenlijk? Was Boxers gedrag haar te veel? Amy begreep er niks van. Ze wist zeker dat Ruth haar niet alles had verteld. Ze liep naar het voerhok, waar Ty de voeremmers voor die avond stond te vullen.

„Het leek me handiger eerst alles klaar te zetten voor ik de paarden naar binnen haal," zei hij. Hij keek op en zag haar gezicht. „Hé, wat is er aan de hand?"

„Ik had net Ruth Adams aan de telefoon. Boxer was helemaal niet van haar. Hij was van haar vader, Hank."

„En hij is niet degene die Boxer hierheen heeft gestuurd?"

„Nee. Wel een beetje vreemd, vind je niet?"

„Misschien wel," zei Ty. Hij schepte nadenkend wat brokken uit de voerton. „Ik heb nog eens nagedacht over Boxer. Volgens mij doen paarden alleen zo als ze treuren om iets. Zoals Sugarfoot bijvoorbeeld, of Pegasus."

Amy knikte. Daar was ze zelf ook net opgekomen. Toen het baasje van Sugarfoot was overleden, was de kleine shetlander bijna weggekwijnd. Pas toen Lou voor hem was gaan zingen, zoals zijn baasje ook altijd had gedaan, was hij er weer overheen gekomen. En Pegasus... Die lieve, lieve Pegasus. Nadat Amy's vader dat ongeluk had gehad, waardoor hij niet meer kon springen, had Marion Pegasus meegenomen naar Heartland om hem beter te maken. Toen haar moeder dood was gegaan, was hij ook weggekwijnd. Hij had het verdriet én de kanker die hij kreeg niet overleefd. Amy dacht terug aan het fantastische paard waarmee ze was opgegroeid en ze moest even slikken.

Ze zette de gedachte uit haar hoofd. „Ja, maar Hank is niet dood. Ruth had het net nog over hem. Ze zei dat hij wist dat Boxer hier was. Maar waarom zou hij Ruth zijn paard weg hebben laten doen als hij er zelf zo dol op was?"

„Ja, dat is inderdaad heel gek."

„En Ruth heeft echt niks nuttigs te vertellen," zei Amy.

„Ik denk dat we met Hank zelf moeten praten."

Nadat Ty de laatste emmers had gevuld, ging hij samen met Amy naar de weilanden om de paarden binnen te halen.

„Lou en ik reden vanmiddag langs Boxer," zei Amy, „en hij stond helemaal in zijn eentje. Hij graasde niet eens."

Ze kwamen bij het hek en zagen dat er nog niks was veranderd. Boxer had geen vin verroerd.

„Die arme jongen," zuchtte Amy. „Ik zal straks op stal wat T-touch met hem doen, misschien helpt dat een beetje."

Ze liet Ty Storm en Sugarfoot pakken en bracht zelf Boxer naar binnen. Eenmaal in de stal legde ze haar handen op zijn rug en maakte kleine cirkeltjes met haar vingers in de richting van zijn schoft en hals. Na een tijdje voelde ze hoe zijn spieren begonnen te ontspannen en hoe Boxer langzaam indommelde. Amy hield niet gelijk op. Ze ging door met het masseren van zijn hals, terwijl ze zachtjes tegen hem praatte.

Er viel een schaduw over de boxdeur en Amy keek op. Ze viel bijna flauw toen ze zag wie het was.

„Ashley!" riep ze uit. Ashley Grant was wel de laatste persoon op aarde die Amy op Heartland had verwacht. „Wat doe jíj hier?"

„Nou, bedankt voor die hartelijke begroeting." Ashley zwaaide haar blonde haar naar achteren en glimlachte.

Amy hield haar handen stil en keek haar kil aan. Natuurlijk was Ashley niet welkom, dat was nogal logisch. Zoals zij altijd over Heartland praatte! En toch liep ze opeens hier in de achterste stal rond te gluren.

„Hoe heb je me gevonden?" vroeg Amy. „Heeft iemand je hier naar binnen gestuurd?"

„Nou, ik heb niet echt lang hoeven zoeken, Amy," zei Ashley poeslief. „Ik bedoel, jullie hebben toch maar twee stalgebouwen?"

Amy keek haar woedend aan, maar besloot die opmerking naast zich neer te leggen. Ze stapte Boxers stal uit.

„Ga je niet vragen hoe het met me is?" vroeg Ashley.

Amy herinnerde zich opeens weer dat Ashley was gevallen, maar ze kon wel zien dat er niks meer met haar aan de hand was. „Nou, het is wel duidelijk dat het alweer beter met je gaat."

„Ja, ik denk dat ik over een paar dagen weer in het zadel klim."

Amy liep naar de deur van het stalgebouw. Waarvoor Ashley ook gekomen was, Amy wilde haar zo snel mogelijk weer weg hebben. Ze had op Heartland niks te zoeken.

Ashley liep achter haar aan. „En? Hoe is het gister afgelopen? Met Storm, bedoel ik."

Amy bleef stokstijf staan en draaide zich naar het meisje toe. „Genoeg gekletst, Ashley. Waarom ben je hier?"

Ashley leek te schrikken, maar glimlachte toen. Ze schraapte aarzelend haar keel. „Ik vroeg me af of jij m'n zweepje hebt," zei ze na een tijdje. „Ik heb hem gister ergens laten liggen. Hij was van m'n oma. Heb jij hem meegenomen?"

„Nee." Amy haalde haar schouders op. Is dat echt waar je voor komt? vroeg ze zich af. Ze dacht aan wat er de vorige dag was gebeurd. „Volgens mij heb ik nergens een zweepje gezien, behalve toen jij hem had in de ring. Sorry."

Ashley peuterde aan haar perfect gelakte nagels. „Mijn moeder gaat flippen," mompelde ze.

„Wat zeg je?"

„O, niks…" zei Ashley snel.

Amy trok de staldeur open en ze liepen samen naar het erf.

„Wat was je daar aan het doen met die koudbloed?" vroeg Ashley vriendelijk. „Wat is er met hem aan de hand?"

Amy keek even snel opzij. Ashley leek de onschuld zelve, maar Amy vertrouwde haar voor geen meter. Waarom vroeg ze naar Boxer, en wat deed ze hier eigenlijk echt op Heartland? Misschien was ze aan het spioneren. Misschien had haar moeder haar gestuurd, dat was echt iets voor Val.

„Ashley, je bent hier helemaal niet omdat je dat zweepje kwijt bent, hè?" vroeg ze botweg.

Ashley trok bleek weg. „Echt wel," stotterde ze. „Dat zei ik toch. Hij was van m'n oma. Ik ben er erg aan gehecht."

„Maar als ik hem had meegenomen, had ik je toch wel gebeld?"

Ashley trok snel haar gezicht weer in de plooi. „Hoe kon ik dat nou weten?" vroeg ze bokkig. „Misschien wou je hem zelf houden."

Amy balde haar vuisten, maar ze was tegelijk ook een beetje gerustgesteld. Als Ashley zo vervelend deed als altijd, wist Amy tenminste waar ze aan toe was.

„Dat is niet waar en dat weet je best," kaatste ze terug. „Vertel op, waarom ben je hier?"

Ashley aarzelde even en beet op haar lip. Het leek alsof ze iets wou gaan zeggen, maar ze deed het toch niet. Ze trok weer haar glimlachende fotomodellengezicht en draaide zich om naar de oprijlaan. „Sorry, dat ik je heb lastiggevallen," zei ze, terwijl ze wegliep. „Dag, Amy."

Amy trok achter haar rug een vies gezicht. „Niet te geloven, die meid!" mompelde ze bij zichzelf.

„Hé, Amy! Was dat Ashley niet?" Ben kwam naast haar staan.

Amy knikte.

„Wat kwam die hier doen? Gaat het weer met haar na die klap?"

Amy lachte schamper. „Prima. In ieder geval goed genoeg om hier te komen spioneren. Dat denk ik tenminste, want ik zou echt niet weten waarom ze anders zou komen. Ze had natuurlijk wel een smoes klaar."

Ben krabde bedachtzaam op zijn hoofd. „Misschien kwam ze wel om je te bedanken voor gister," zei hij mild. „En kon ze het niet over haar lippen krijgen."

„Ashley mij bedanken?" Amy pakte een rondslingerend plukje stro op. „Jij ziet ze vliegen!"

Amy zette het mysterieuze bezoekje van Ashley snel uit haar hoofd. Ty had de rest van de paarden van het land gehaald en was al bijna klaar met het uitdelen van het voer. In de zomer was dit veel minder werk dan in de winter, omdat de pony's naast het gras uit de wei alleen een hooinet kregen.

„Ik begin wel met de waterbakken," riep ze over het erf naar Ty, die net uit het voerhok kwam. Ze ging de stallen in het voorste blok af en vulde alle wateremmers met vers water uit de kraan op het erf. Eenmaal bij het achterste stalgebouw gekomen, ging ze snel kijken of Boxer zich al wat beter voelde. In zijn box was het heel stil en ze keek over de onderdeur naar binnen.

„Boxer?" Ze zag de koudbloed niet gelijk. Ze kwam dichterbij en keek nog eens goed. Boxer lag op zijn buik met zijn hoofd omlaag en zijn neus bijna in het stro. Amy maakte snel de boxdeur open. Tot haar opluchting krabbelde Boxer overeind, maar daarna bleef hij in een hoekje staan. Zijn ogen stonden dof.

Amy zuchtte en aaide hem over zijn neus. „Arme Boxer," fluisterde ze. „Wat ben je toch ongelukkig." Ze pakte zijn wateremmer en liep de stal weer uit. „We moeten maar eens met je echte baasje gaan praten."

Ze ging de boerderij in, zocht het telefoonnummer van de familie Adams op en pakte de telefoon. Ruth nam op.

„Hallo, Ruth. U spreekt weer met Amy van Heartland."

„Amy." Ruth klonk op haar hoede. „Wat is er nu?"

„Het gaat nog steeds niet goed met Boxer. Ik vroeg me af of ik uw vader kon spreken."

„Mijn vader?" riep Ruth geschrokken uit.

„Ja. Is hij er? Ik bedoel, woont hij bij u?"

Ruth negeerde Amy's vraag. „Maar waarom wil je hem spreken?"

„We denken dat Boxer wegkwijnt omdat hij iemand mist. Dat is de meest logische reden voor zijn gedrag. En als uw vader zijn baasje was, mist Boxer waarschijnlijk hem."

Het was even stil aan de andere kant van de lijn. „Je kunt hem niet spreken," zei Ruth na een tijdje. „Hij... hij kan nu niet aan de telefoon komen."

Amy wreef vermoeid over haar voorhoofd. Die Ruth werkte echt niet mee! „Ik begrijp het. Maar misschien zou u met hem kunnen praten?" hield ze geduldig vol. „Als we ze samen zouden zien... Als uw vader langs zou kunnen komen... Dan kunnen we kijken of daar misschien het probleem ligt."

Het was weer een tijd stil. „Nou, een bezoekje moet te regelen zijn. Als je echt vindt dat dat nodig is," zei Ruth schoorvoetend.

Amy had het idee dat ze gewoon niet wilde accepteren dat het niet goed ging met Boxer.

„Bedankt." Ze probeerde de tegenzin van Ruth te negeren. „Dat zou ons enorm helpen. Wanneer denkt u dat hij kan komen?"

„Ik zal het wel regelen," zei Ruth kortaf.

Amy bedankte haar. Het was raar. Ruth werkte alleen maar tegen en het was duidelijk dat ze Amy lastig vond. En ze deed zo vreemd over haar vader. Wat was er toch aan de hand?

Hoofdstuk 4

Amy zat nog steeds in gedachten verzonken naar de telefoon te staren toen die opeens rinkelde. Ze nam op.

„Amy?" Het was Matts stem.

„Matt!" riep Amy uit. Ze had niet verwacht dat haar oude vriend zou bellen.

„Ik weet dat ik al heel lang niks van me heb laten horen..." Matt klonk een beetje zenuwachtig.

„Nou, ik vind het altijd gezellig als je belt, dat weet je toch? Hoe gaat het met je? Hoe is je vakantie?"

„O, best hoor," zei Matt ontwijkend. „Er zijn alleen wat dingen, eh... veranderd. Heb je soms zin om binnenkort ergens koffie te gaan drinken?"

„Tuurlijk, lijkt me leuk." Amy moest op haar tanden bijten om hem niet te vragen wat er dan was veranderd. Dat zou hij haar wel vertellen als hij dat zelf wilde.

„Kun je donderdagochtend?" vroeg Matt. „In café Jerry's om een uur of half elf?"

„Goed plan. Tot donderdag."

Iets later die avond strooide Amy wat peper door de kip-champignonsaus die ze aan het maken was. Ze keek nog eens in het kookboek. „Zachtjes laten sudderen," mompelde ze tegen zichzelf. Daarna vulde ze een pan met water, zette hem op het vuur en deed er wat zout in. „Ruim kokend water..."

Lou was uitgegaan met Scott en Jack was op bezoek bij vrienden, dus had Amy aangeboden voor Ty te koken. Ze kon er eigenlijk niks van, maar het was een van de weinige keren dat zij en Ty een avond alleen waren samen.

„Dat ruikt lekker!" Ty kwam van het erf de keuken in.

„Stel je er maar niet te veel van voor," grinnikte Amy. „Gewoon saus met kip en champignons, en pasta."

„Klinkt goed. Beter dan ik van mijn moeder krijg voorgezet." Ty ging aan tafel zitten. „Kan ik helpen?"

„Bedankt, maar ik ben bijna klaar. Waarom eet je thuis niet lekker?"

Ty fronste zijn voorhoofd. „O... Ze kookt gewoon niet meer. Bijna nooit meer, in ieder geval."

„Echt waar? Doet je vader alles?"

Ty keek even ongemakkelijk naar zijn handen en snoof. „Volgens mij kan mijn vader nog geen ei bakken. En de afgelopen paar jaar kookt mijn moeder alleen nog maar uit pakjes en de magnetron."

Amy schudde wat pastaschelpjes uit een pak in de pan kokend water. Ty weet alles over mij en mijn familie, dacht ze. Maar ik weet bijna niks over de zijne, en misschien wil hij dat ook helemaal niet. Ze baalde er een beetje van. Ze wist wel dat zijn ouders niks van zijn liefde voor paarden begrepen, of van zijn werk op Heartland. Vooral zijn vader niet, die vrachtwagenchauffeur was. En ze wist ook dat zijn moeder geen goede gezondheid had. Ze roerde in de pasta, controleerde de saus en ging aan tafel zitten. „Je moeder is ziek, hè?" begon ze voorzichtig.

Ty speelde met zijn vork. „Ze is depressief."

Amy aarzelde. „Je... je hoeft niet over haar te praten, als je..."

„Je weet dat ik heel veel om je geef, Amy. Maar... er zijn gewoon dingen waar ik liever niet te vaak aan denk. Niet als ik hier ben."

Amy knikte. „Ik begrijp het wel," zei ze zacht.

Ze stond weer op om in de pasta te roeren en draaide het vuur laag. „Bijna klaar."

Ty grijnsde. „Mooi! Ik rammel."

Tijdens het eten vertelde Amy over haar gesprek met Ruth Adams.

„Het leek of ze het helemaal niet zag zitten dat Hank hier langskwam, maar uiteindelijk zei ze ja. Volgens mij is er iets dat ze niet wil vertellen. Of het is gewoon een heel raar mens. Zo... stekelig."

Ty prikte een schelpje aan zijn vork. „Het is wel raar dat je Hank zelf niet te spreken kreeg. Zei ze niet waarom?"

„Nee, alleen dat hij niet aan de telefoon kon komen."

Amy schepte de borden nog eens vol en ze dachten even stil na.

„Weet je, ik zou Hank dinsdag kunnen ophalen," zei Ty. „Ik neem een ochtend vrij om mijn moeder te helpen, die vroeg of ik boodschappen voor haar wou doen. Ik kan daarna op weg hiernaartoe langs Ruth rijden. Ze wonen toch ergens bij Davidstown?"

„Ja, goed idee. Als Ruth het ermee eens is, tenminste."

„Zullen we haar na het eten bellen?" stelde Ty voor. „Dan hebben we dat maar gehad."

Amy knikte. Haar hoofd was eigenlijk helemaal niet bij Ruth, want ze realiseerde zich opeens hoeveel Ty voor zijn moeder deed. „Kan je moeder niet zelf de boodschappen doen?"

Ty kreeg een kleur.

„Sorry," zei Amy haastig. „Ik wil me nergens mee bemoeien..."

„Geeft niet." Ty zuchtte. „Ze heeft weer een van haar slechte perioden. En dan kan ze het huis niet uit. Dat kan ze dan gewoon niet aan. En mijn vader is net weg voor een hele lange rit, dus moet ik de boodschappen halen."

Amy staarde hem aan. „Eh... hoe lang duurt dat dan, zo'n periode?" Ze wist eigenlijk niet wat ze moest zeggen.

„Hangt ervan af. Weken, soms maanden."

„En je broer dan?" Amy wist eigenlijk niks van Ty's broer af, alleen dat hij jonger was.

„Lee?" Ty haalde zijn schouders op en lachte schamper. „Die hangt alleen maar op de bank voor de tv met z'n PlayStation."

Amy durfde verder niks te vragen. Ty nam een laatste hap pasta en pakte Amy's bord. „Het was heerlijk. Ik was wel af."

„Ach, laat toch," protesteerde Amy. „Ik doe dat straks wel." Ze stond op. „Laten we Ruth maar eens bellen."

Tot Amy's verrassing nam niet Ruth op, maar een man. Een oude man.

„Hallo," zei Amy. „Spreek ik met meneer Adams?"

„Eh... ja. Meneer Adams. Inderdaad. Wie ben jij?"

„Amy Fleming, van Heartland."

„Eh... ja ja," zei Hank weer.

„Ik bel over Boxer. Dat is toch uw paard?"

„Boxer is mijn paard, ja." De oude man klonk verrukt. „Mijn speciale jongen."

„Nou, ik weet niet of Ruth het u al heeft gezegd, maar we vroegen ons af of u hem misschien kunt komen opzoeken, hier op Heartland."

„Natuurlijk. Op bezoek bij mijn jongen. Wanneer kom je dan langs?"

Amy aarzelde even verward. „Eh... iemand kan u dinsdag op komen halen, als dat uitkomt."

„Dinsdag. Dinsdag. Dat is goed."

Amy lachte opgelucht. „Ik ben zo blij dat u kunt komen. We maken ons zorgen over hem. Hij wil niet eten..."

Maar Hank antwoordde niet meer, hij had de verbinding al verbroken.

Amy keek verbaasd van de telefoon naar Ty.

Ty trok een wenkbrauw op. „Was dat Hank?"

„Ja." Amy legde de telefoon neer. „Hij vond het prima om dinsdag naar Boxer te komen."

„Cool! Nou, blijkbaar is het allemaal toch een stuk minder raar dan we dachten."

„Nee..." Amy was er toch niet zo zeker van. „Hij deed wel een beetje vreemd aan de telefoon. En hij verbrak de verbinding, terwijl ik nog niet was uitgepraat. Dat deed Ruth eigenlijk ook. Wat een apart stel is het."

Ty haalde zijn schouders op. „Niet iedereen kan zo normaal zijn als wij. We zien wel hoe het dinsdag gaat. Ik haal de kaart even, dan kunnen we opzoeken waar ze wonen."

De volgende ochtend stond Amy om zes uur op. Ze trok haar spijkerbroek en T-shirt aan en ging het erf op. Ben en Ty kwamen pas om zeven uur, dus was ze lekker een uurtje alleen. Ze pakte een bezem en veegde het erf, en besloot daarna de paardenwagen schoon te maken. Eerst veegde ze de achterkant uit en vervolgens liep ze naar de voorkant om de cabine op te ruimen.

Ze trok de deur aan de passagierskant open en bleef stokstijf staan. Daar lag een zweepje op de stoel, gemaakt van oud, glanzend gepoetst leer, met een ivoren handvat. Amy keek nog eens wat beter. Op het handvat waren letters ingegraveerd. Ashley Jane Weaver, stond er. Zou dit Ashley's zweep zijn? Maar hoe kwam die hier?

Op dat moment hoorde ze een auto de oprijlaan op komen en ze klauterde snel de cabine uit. Het was Ty, maar Ben reed vlak achter hem. Ze zei even snel hallo tegen Ty en rende toen naar de plek waar Ben aan het parkeren was. „Ben!" Ze zwaaide met het zweepje.

„Hoi, Amy." Hij stapte uit. „Wat is..." Hij zag het zweepje en sloeg verschrikt zijn hand voor zijn mond. „O nee! Dat was ik helemaal vergeten! Die moet ik van Ashley hebben aangepakt toen we haar naar de eerste hulp brachten. Ik heb hem in de trailer gemikt toen we daar langskwamen en er nooit meer aan gedacht!"

„En ik ben toen met Ty meegereden. Dus hij is echt van Ashley. Ashley Weaver staat erop, dat moet Vals moeder zijn."

„Waarom heeft ze er niet naar gevraagd toen ze hier gister was?" vroeg Ben.

„Dat heeft ze wel, maar ik zei toen dat ik niet geloofde dat ze daarom langskwam."

„Oeps, sorry," zei Ben lachend. „Mijn schuld!"

Amy grinnikte. „Nou, ik denk dat Ashley wel een paar daagjes zonder kon. Ze rijdt nu toch niet." Ze liet het zweepje in haar vingers draaien als een majorette en fronste haar voorhoofd toen ze dacht aan hoe Ashley zich de vorige dag had gedragen. „Maar weet je?"

„Wat?"

Amy klapte het zweepje tegen haar laars. „Volgens mij kwam ze toch ergens anders voor."

Later die ochtend belde Amy naar Green Briar. Daniël nam op.

„Hé, Daniël! Hoe is het met je? Ik zag je lopen bij de wedstrijd afgelopen weekend, maar ik had geen tijd om je op te zoeken."

„Hoi, Amy. Ja, ik zag jou ook. Ik heb je zien springen in de eerste ronde." Daniël ging wat zachter praten. „Maar nadat Ashley was gevallen, kon ik met geen mogelijkheid wegkomen om je te zoeken. Val was helemaal geflipt en liet ons flink zweten."

„Dat kan ik me voorstellen. Maar gaat het verder goed met je daar?"

„Best. Het is een beetje een rare tent, maar ik werk in ieder geval weer met paarden. Dat is het belangrijkste." Er klonk wat geroezemoes op de achtergrond. „Sorry Amy, ik moet gaan. Ik heb nog drie paarden om te poetsen. Leuk om je weer eens te spreken..."

„Ik snap het," zei Amy haastig. „Ik belde alleen om te zeggen dat we Ashley's zweepje hebben gevonden. Hij ligt hier op Heartland, wil je dat doorgeven?"

„Tuurlijk. Tot snel!"

Amy maakte haar werk voor die ochtend af en keek hoe het met haar paard Sundance ging, die een pees had verrekt. Zijn been was al bijna niet meer dik, maar ze kon nog steeds niet op hem rijden of hem in de wei laten. Nadat ze een nieuwe bandage om zijn been had gedaan, ging ze naar binnen om een boterham te eten. Ze bedacht ook dat ze nog wel tijd had om iets met Storm te doen. „Hallo, jongen," zei ze na het middageten tegen Storm. „Hoe is het met je? Heb je zin in een ommetje?"

Storm keek haar rustig en opgewekt aan. Hij was echt helemaal niet moe van de wedstrijd dat weekend. Amy leidde hem zijn stal uit en haalde snel een borstel over zijn vacht. Daarna zadelde ze hem op en reed naar de trainingsring.

Bij de eerste training na een wedstrijd deed ze altijd rustig aan. Ze begon met overgangen en liet hem verzamelen en uitstrekken, tot zijn gangen soepel en ruim werden.

Gelukkig was er geen teken van stijfheid bij het paard.

„Goed zo, jongen." Amy liet hem in stap overgaan en beloonde hem. Daarna gaf ze hem een lange teugel, zodat hij de spieren in zijn hals lekker kon strekken. Ze zag Ty naar het hek komen en zwaaide.

„Amy!" riep hij. „Er is hier iemand voor je..."

Amy zag gelijk wie het was. Ashley Grant was achter hem aangelopen en kwam ook bij het hek staan. Ze komt het me vast flink inwrijven, dacht Amy, terwijl ze Storm naar haar toe stuurde.

„Dus je had mijn zweepje toch," zei Ashley met een glimlach.

„Ja, sorry. Ik had hem nog niet gezien," zei Amy stijfjes. „Ben had hem meegenomen en ik zag hem pas vanochtend in de wagen liggen."

Ze verwachtte een sarcastische opmerking van Ashley, maar gek genoeg kwam die niet.

„O, geeft niet, hoor. Zoals ik de vorige keer al zei, kan ik toch een paar dagen niet rijden. Ik zie dat je weer op Storm zit."

„Ja." Amy vertrouwde het niet erg. Waarom was Ashley zo vriendelijk? Ze liet zich uit het zadel glijden.

„Je hoeft voor mij niet te stoppen, hoor," zei Ashley vlug. „Ik zou best willen zien wat je met hem doet."

Amy glimlachte koel. „Nou, ik ben net klaar."

Ze deed het hek open. Storm wandelde rustig met haar mee naar het erf, zijn oren blij naar voren. Amy had eigenlijk verwacht dat Ashley hem weer snel zou smeren, maar die liep mee en keek ingespannen naar Storm. „Hij ziet er relaxed uit, als je bedenkt dat je hem net hebt getraind."

Amy keek met een frons opzij. „Eh... dat was ook de bedoeling. Ik ga weer heel rustig met hem aan het werk na die wedstrijd. Wat had je dan verwacht?"

Ashley haalde haar schouders op en zei niks.

Ze kwamen op het erf en Amy keek het andere meisje verbaasd aan. Waarom bleef ze zo rondhangen? Amy hield het bijna niet meer van nieuwsgierigheid. Het was echt heel erg raar dat Ashley steeds langskwam, zelfs al had ze het zweepje als smoes. Daar móést iets meer achter zitten!

Ze maakte de singel van Storm los. „En wie doet Bright Magic, nu je niet kunt rijden?"

Ashley staarde naar de oprijlaan. „Mijn moeder, denk ik," zei ze zonder Amy aan te kijken.

„Hij leek heel opgewonden bij de wedstrijd," ging Amy verder.

„Nee, echt? Daar heb ik niks van gemerkt," zei Ashley nu wel sarcastisch.

„Ik wou alleen maar vragen hoe het met hem gaat. Wanneer ga je weer op hem rijden?" Amy tilde het zadel van Storms rug en draaide zich om naar Ashley, die haar blik nog steeds strak op de grond had gericht.

„Ik ga niet meer op hem rijden," zei ze terloops.

„Wat?" Amy's mond viel open. „Nooit meer? Maar waarom? De dokters zeiden dat het weer helemaal goed komt met je, toch?"

Ashley tilde langzaam haar gezicht op. Tot Amy's stomme verbazing trilde haar onderlip en stonden er tranen in haar ogen. „Bright Magic doet al weken zo eng," biechtte ze met bibberende stem op. „Mam zegt dat het mijn eigen schuld is, dat het komt door hoe ik rij. Ze traint nu zelf met hem en daarna gaat ze iemand anders zoeken om met hem in de juniorenklasse te starten."

Amy kon even geen woord uitbrengen en dacht aan de prachtige warmbloed, met zijn perfecte bouw en zijn vriendelijke uitdrukking. En daarna zag ze voor zich hoe Val Grant op hem zou rijden. Ze zou hem net zo lang opjagen tot er van dat mooie karakter niks meer over was. Ze werd er helemaal woest van. Wat zou dat zonde zijn! Voor het eerst in haar leven had ze medelijden met Ashley. Wat een vreemd gevoel was dat.

„En, loopt hij al wat beter sinds zaterdag?" vroeg ze.

„Weet ik niet." Ashley had snel haar gezicht weer in de plooi getrokken. „Ik mag niet bij hem komen van mam."

Amy nam het zadel op haar arm en liep naar de zadelkamer om hem op te bergen. „Het verbaast me eigenlijk niks dat het zo slecht met hem gaat, met dat scherpe bit," zei ze over haar schouder.

Ashley liep achter haar aan en kwam in de deuropening staan. „Denk je echt dat het door zijn bit komt?"

Amy haalde haar schouders op. „Scherpe hulpmiddelen zoals schaarbitten, kinkettingen en slofteugels helpen alleen tegen de symptomen. Het probleem gaat er nooit van over."

„Misschien moet ik dan eens een ander bit proberen," mompelde Ashley binnensmonds.

Amy keek haar scherp aan. „Ik dacht dat je niet meer op hem mocht rijden?"

Ashley kreeg een vreemde uitdrukking in haar ogen. Ze keek bang, vastbesloten en een beetje geheimzinnig, tegelijkertijd. Ze veegde een lok van haar perfect gekapte haar achter haar oor en keek Amy recht in haar ogen. „Ik moet dit probleem zelf oplossen. Bright Magic is míjn paard. Ik voel me verantwoordelijk voor hem. Hij was geweldig toen we hem kochten en... dat wil ik weer terug voor hem. Weet je, Amy, dat verdient hij gewoon."

Haar woorden verrasten Amy. Het leek wel of Ashley echt bezorgd was om Bright Magic en dat was een kant die Amy nog niet van haar kende. Afgaande op wat Amy allemaal had gezien, had Ashley nooit echt een band gehad met de paarden waar ze op reed. Ze had gewoon het ene na het andere paard zonder veel persoonlijkheid, die als robotjes allemaal precies deden wat ze moesten doen. Maar misschien was dit paard anders...

„Wat ben je dan van plan?" Amy pakte een poetskist en keek Ashley achterdochtig aan. Ashley had nog steeds die vreemde vastberaden trek om haar mond.

„Ik ga op hem rijden als mijn moeder weg is. Ik moet bewijzen dat ik het beste uit hem kan halen. Ik wil hem niet kwijt."

Amy liep weer naar de stallen. Ze pakte een zweetmes uit haar poetskist en haalde hem met lange, gelijke slagen over Storms rug. „Hoe ga je dat aanpakken?" vroeg ze nieuwsgierig aan Ashley.

Ashley lachte haar rechte, stralend witte tanden bloot. „Dat wou ik nou net aan jou vragen. Eigenlijk vroeg ik me af of je me wilt helpen..."

Hoofdstuk 5

Amy liet bijna het zweetmes uit haar handen vallen van verbazing. „Jou helpen?" stotterde ze. „Jou helpen met een paard?"

Ashley schrok van haar toon, en haar uitdrukking werd weer kil. „Nou ja, misschien kun je erover denken," zei ze haastig. „Mag ik nu mijn zweepje, alsjeblieft?"

Amy ging het halen, nog steeds sprakeloos van verbazing. Ze wist niet of ze zich nou boos of gevleid moest voelen. Dat Ashley om hulp zou vragen, had ze in geen duizend jaar verwacht.

Het bleef nog steeds door haar hoofd spoken toen ze de volgende dag met Soraya naar Clairdale Ridge reed op Storm en Jasmine. Haar vriendin was al net zo verbaasd over het nieuws als ze zelf was geweest.

„Niet te geloven! Ashley Grant die door het stof kruipt. Dat ik dat nog eens mee mag maken."

„Nou, door het stof is wel wat overdreven, hoor," zei Amy onzeker. „Ze vroeg wel of ik haar wou helpen, maar ze ontdooide voor geen meter."

„Wat denk je dat je gaat doen? Je gaat haar toch niet echt helpen?"

Amy dacht even na. Het ging vooral om Bright Magic. Ashley zelf was geen snars veranderd, dat wist ze zeker. Maar Bright Magic was een talentvol, gevoelig paard en de harde training van Val Grant zou hem helemaal verpesten. En Ashley leek ook oprecht bezorgd om hem. Ashley mocht dan wel nog net zo'n rotkind zijn als vroeger, door de weigering van Bright Magic had ze in ieder geval ontdekt dat ze niet altijd gelijk had.

Amy haalde haar schouders op. „Ashley is echt onwijs geschrokken van die valpartij. Ik denk dat ze opeens doorheeft dat ze lang niet alles weet."

„Misschien wel," zei Soraya vol twijfel. „Maar ze denkt altijd alleen aan zichzelf, Amy. En bovendien zul je nog heel vaak bij wedstrijden tegen haar moeten rijden met Storm."

„O, dat kan me niks schelen. Storm loopt geweldig. Bovendien gaat het daar natuurlijk niet om. Bright Magic is een goed paard dat verkeerd wordt bereden. Ik zou zijn leven een heel stuk prettiger kunnen maken."

Soraya keek haar doordringend aan en Amy besefte dat ze precies wist wat ze dacht. „Amy, je bent al helemaal met een oplossing voor dat paard bezig, hè? Zo ben je nou eenmaal."

Amy grinnikte. Ze kwamen bij een breed zandpad en ze zette Storm in galop aan. „Ik denk er alleen maar over na, hoor," riep ze achterom naar Soraya. „Verder niks."

Net op het moment dat Amy en Soraya het erf weer op reden, kwam Ty in zijn truck aanrijden.

„Hank!" riep Amy uit. „Dat was ik helemaal vergeten. Soraya, wil je alsjeblieft Storm voor me op stal zetten? Ik moet met Ty Hank naar Boxer brengen."

„Doe ik." Soraya nam de teugels van Storm over.

Amy zwaaide naar Ty, die een oude man uit zijn auto hielp stappen. Hij was ongeveer zeventig jaar en toen hij eenmaal naast de wagen stond, zag Amy dat hij net zo'n verweerd gezicht had als haar opa. Het was wel duidelijk dat Hank zijn hele leven buiten had gewerkt.

Amy stak haar hand uit. „Hallo, meneer Adams," zei ze beleefd. „Ik ben Amy. We hebben elkaar door de telefoon gesproken."

„Ah, daar ben je," zei Hank. „Ik vroeg me al af waar je was gebleven."

Amy knikte glimlachend. Ze was wel een beetje verbaasd over zijn woorden. „Komt u maar mee naar de achterste stal."

Ze keek over Hanks schouder naar Ty's gezicht. Hij fronste. Amy trok vragend een wenkbrauw op en terwijl Hank geïnteresseerd om zich heen keek naar de stallen, wenkte hij haar opzij.

„Amy, er is iets mis," zei hij zachtjes. „De reis hierheen was onwijs raar. Meadowbridge is een soort boerderij, denk ik. Er was een verpleegster in het huis. Ik zei dat ik Hank kwam halen om naar Boxer te gaan en dat vond ze prima. Maar ik had wel het gevoel dat ze geen idee had dat ik zou komen. Ik heb haar verzekerd dat het allemaal geregeld was. Maar toen we eenmaal op weg waren, leek het wel of Hank helemaal niet wist waar we eigenlijk heen gingen. Hij begon over Boxer te praten en daarna over een paar andere paarden, Emerald en Snowy, alsof hij dacht dat ik die kende. Volgens mij is-ie..."

Hank kwam naar ze toe en Ty hield zijn mond. „Het is hier wel veranderd, hè Ruth?" zei Hank tegen Amy.

„Eh... ja, dat is wel zo," zei ze aarzelend. „Ik heet Amy."

Hank knikte en wreef over zijn kin. Amy wist niet zeker of hij haar wel had gehoord. Ze keek even snel naar Ty en liep voor hen uit naar het achterste stalgebouw. Hank keek om zich heen naar de andere stallen en schuren.

Bij de stal gekomen trok Ty de deur open. Het zonlicht viel naar binnen en ze stapten het middenpad op.

Opeens klonk uit de achterste box een hard en vrolijk gehinnik. Boxer hing met heldere ogen over zijn onderdeur, zijn oortjes gespitst.

Amy's mond viel open. Ze draaide zich om naar de oude man, benieuwd naar zijn reactie. Het verschil was ongelofelijk. De vage uitdrukking was helemaal van zijn gezicht verdwenen en hij had nu een glimlach van oor tot oor.

„Boxer!" De oude man stormde naar voren. „Daar ben je, ouwe jongen."

Amy en Ty keken verbaasd en verrukt toe hoe hij de box in vloog.

Boxer drukte zijn neus tegen Hanks schouder en brieste blij. Hank kriebelde hem lachend tussen zijn oortjes en praatte tegen hem alsof hij nooit weg was geweest.

„We zouden ze eigenlijk alleen moeten laten," zei Ty. „Maar na die autorit denk ik niet..."

Hank draaide zich naar hen toe. „Maak je maar geen zorgen over mij, Ruth," zei hij tegen Amy. „Boxer past wel op me, hè ouwe jongen?" Hij keek weer naar het paard, dat stond te trillen van blijdschap.

Amy liep naar hen toe. „Meneer Adams, ik ben Ruth niet. Ik heet Amy."

Hank keek haar onzeker aan. Het leek alsof hij een beslissing nam. Hij aaide Boxer over zijn neus en zei kordaat: „Wacht hier maar even, jongen. Ik ben zo terug. We moeten alleen even kijken hoe het met de andere gaat. Ja, toch?"

Hij keek Amy vol verwachting aan, maar die wist niet wat ze moest zeggen. Hank kwam de box weer uit en stapte doelbewust terug naar het erf, met Amy en Ty ongerust achter hem aan. Hij bleef bij de box van Red staan en leunde over de onderdeur.

„Kom 's hier, Sandy," riep hij. Red keek op van zijn hooinet. „Het gaat allemaal prima met ze," zei Hank geruststellend tegen Amy. „Dat zie je toch wel?" Hij klopte haar op haar schouder. „Je hoeft je geen zorgen te maken."

Amy stond met haar mond vol tanden. Ze glimlachte naar de oude man, maar van binnen was ze geschokt. Geen wonder dat Ruth zo moeilijk had gedaan aan de telefoon...

Ze hoorde een auto en draaide zich om. Er zou toch verder geen bezoek komen? De auto remde slippend en een vrouw van een jaar of dertig sprong er uit. Haar ogen schoten vuur en ze was duidelijk heel boos. Ze marcheerde naar Hank toe en pakte hem bij zijn arm.

Het is Ruth Adams, realiseerde Amy zich.

„Goddank is er niks met je gebeurd," zei Ruth tegen haar vader.

Hank keek haar glimlachend aan, hij begreep duidelijk niet helemaal wat er aan de hand was.

Ruth draaide zich naar Amy toe. „En jij bent vast Amy Fleming!" Haar stem trilde van woede. „Hoe durf je mijn vader zomaar mee te nemen, zonder het mij te vertellen! Heb je enig idee hoe onverantwoordelijk dat was?"

„Maar we wilden niet..." stamelde Amy.

„Het is niet Amy's schuld," viel Ty haar bij.

Ruth zette haar handen in haar zij. „En wie mag jij dan wel zijn?" brieste ze.

„Ik ben Ty Baldwin," zei Ty kalm. „De hoofdstalhulp hier op Heartland. Ik heb Hank opgehaald. Amy heeft Hank opgebeld om alles af te spreken. Hij leek heel helder aan de telefoon..."

„Helder? Mijn vader is al jaren niet meer helder!"

„We hebben nu ook in de gaten dat we een fout hebben gemaakt." Amy deed een pas naar voren. „Meneer Adams lijkt niet precies te begrijpen waar hij is. Maar daar hadden we vóór vandaag echt geen idee van. U heeft ons nooit verteld..."

Ruth kalmeerde een beetje en keek van Ty naar Amy en terug. „Oké, ik had het jullie moeten vertellen. Mijn vader heeft de ziekte van Alzheimer." Ze keek om naar haar vader, die in de verte stond te staren. „Hij kon gewoon niet meer voor de paarden zorgen. Dat begrijpen jullie vast ook wel. Het was echt de beste oplossing om Boxer weg te doen. Als ik meer verstand had gehad van paarden had ik het misschien zelf wel gered, maar ik heb nog nooit paardgereden, laat staan ervoor gezorgd."

„Ik zei toch dat je je geen zorgen hoefde te maken over Boxer," viel Hank haar opgewekt in de rede. „We weten heus wel wat we doen. Hij past heel goed op me, weet je."

Amy kreeg een brok in haar keel. De oude man leek zo overtuigd van wat hij zei. Hij keek hen vol verwachting aan, wachtend op een antwoord. Amy wist niet wat ze moest zeggen.

Ruth liep naar hem toe en pakte hem bij zijn arm. „Ik weet het, pap," zei ze kalm. „Ik maak me ook geen zorgen om Boxer. Ik weet dat het allemaal prima gaat. Kom maar mee, dan gaan we naar huis."

Ze nam de oude man rustig mee naar de auto en hielp hem instappen. Daarna draaide ze zich weer naar Amy en Ty. „Ik kan mijn vader echt niet steeds hierheen brengen. Hij is heel erg in de war. Ik hoopte dat als Boxer weg was, ik een probleem minder zou hebben om op te lossen. Dat is namelijk de bedoeling van deze hele toestand, dat snappen jullie toch wel?"

De auto verdween de oprijlaan af.

„Wat vreselijk," zei Amy zachtjes. „Stel je toch voor dat iemand van wie je houdt zo aftakelt."

„Ja," zei Ty bedrukt. Amy hoorde iets in zijn stem waardoor ze hem vlug aankeek. Zijn gezicht stond verdrietig en bedachtzaam. „Het is heel angstig als je het gevoel hebt dat iemand van je wegglipt."

Natuurlijk, dacht Amy. Ty's moeder. Het was hem vast ook vaak overkomen dat ze zich terugtrok in een andere wereld. Ze pakte zijn hand vast en hij glimlachte bleekjes.

„We weten nu in ieder geval één ding zeker." Ty kneep in Amy's hand. „Boxer kwijnt weg omdat hij zijn baasje mist."

Amy knikte. „We moeten maar eens gaan kijken hoe het met hem gaat." Ze liepen samen naar de achterste stal. Van een afstand hoorden ze het paard al schril hinniken. Amy rende naar de deur toe. „Boxer!"

De kleine koudbloed stond gespannen in zijn stal. Zijn oortjes waren gespitst en zijn neusvleugels trilden. Toen hij zag dat het Amy en Ty waren, hinnikte hij weer schril, maar nu klonk het heel treurig. Hij strekte zijn hals zo ver mogelijk uit om het erf te kunnen zien.

„Arme Boxer." Amy ging de box binnen en aaide hem over zijn hals. Ze keek wanhopig naar Ty. „Wat moeten we toch met hem beginnen, Ty?"

„Weet jij iets over de ziekte van Alzheimer, opa?" vroeg Amy. Ze stond in de keuken een tosti te maken.

Jack was aardappels aan het schillen boven de gootsteen. Hij keek verbaasd om. „Dat is een heftige vraag. Hoezo?"

„Boxers baasje... We hebben net gehoord dat hij Alzheimer heeft. Daarom is Boxer hierheen gestuurd."

„O! Dat is heel treurig." Jack kwam naast haar staan en sloeg zijn armen over elkaar. „Een ouwe vriend van mij had Alzheimer. Het begint heel geleidelijk. Eerst denk je dat je gewoon een beetje vergeetachtig wordt. Zoals we allemaal wel eens hebben, dat je je sleutels vergeet of denkt dat je het gas aan hebt laten staan. Maar dan wordt het erger. Je vergeet dingen die net zijn gebeurd, en daarna gaat het mis met je herinneringen van vroeger, zoals mensen en plaatsen. En het wordt pas echt verdrietig als je de mensen van wie je houdt niet meer herkent. Dat is vreselijk triest."

Amy dacht terug aan de uitdrukking op Ruths gezicht en knikte langzaam. „Ik denk dat Hank al bijna in dat laatste stadium zit. Hij dacht dat ik Ruth was en dat alle paarden hier van hem waren." Ze fronste haar voorhoofd. „Maar hij herkende Boxer wel. Hoe kan dat dan? Waarom gaan sommige dingen wel goed en andere niet?"

„Misschien is hij de laatste jaren het meest bij Boxer geweest. Dat zou de reden kunnen zijn. En het is sowieso een heel onvoorspelbare ziekte. Je weet nooit welk deel van het geheugen als volgende aan de beurt is."

„Als je zag hoe blij Boxer was om hem te zien, zou je zeggen dat ze onafscheidelijk waren," zei Amy. „Ik heb echt geen idee hoe we hem ooit kunnen troosten."

Het was al laat in de middag en Amy zadelde Storm op. Ze dacht dat hij er vandaag wel klaar voor zou zijn om weer eens wat hindernissen te springen en ze wilde hem voorbereiden op de volgende wedstrijd. Hij was fris, en liep soepel en opgewekt mee naar de bak, waardoor ze even kon vergeten hoe verdrietig Boxer was. Al gauw draafde de schimmelruin netjes over de hoefslag.

Na de warming-up stuurde ze hem op de hindernissen af die ze aan de andere kant van de bak had klaargezet. Ze waren niet echt hoog, maar ze stonden wel scheef ten opzichte van elkaar, zodat Storm zich goed zou moeten concentreren en lenig zou moeten draaien.

„Naar links!" spoorde Amy hem aan. Storm was net over een stijlsprong gevlogen en ze liet hem een krappe driekwart draai maken naar de dubbelsprong. Hij bracht zijn achterhand goed onder zijn lichaam en wist zijn evenwicht te bewaren. Na twee korte passen zette hij alweer af voor de sprong.

„Goed zo! En nog een keer."

Storm haalde de tweede sprong van de dubbel ook makkelijk en Amy klopte hem opgetogen op zijn hals. Ze liet hem weer in draf overgaan en zwaaide naar Lou, die bij het hek was komen staan. „Moet ik komen?"

„Nee," riep Lou. „Ik kom alleen even kijken. Ga rustig door."

Amy liet Storm een paar grote voltes stappen om hem af te koelen en hield halt bij Lou.

„Zag je ons springen?"

Lou knikte. „Hij loopt super. En niet alleen bij het springen, maar ook tijdens de bochten. Hij is zo mooi in balans."

„En volgens mij wordt-ie ook steeds sneller. Misschien hebben we de volgende wedstrijd zelfs een kans om te winnen. Dat hoop ik tenminste."

„Nou, ik ook," zei Lou een beetje treurig.

Amy herinnerde zich opeens dat Lou had gevraagd of ze ook mocht helpen bij het trainen van Storm. Ze wist dat het moeilijk voor haar moest zijn om te zien hoeveel plezier Amy had van het cadeau van hun vader.

„Lou, wil jij er niet eens op?" flapte ze er opeens uit. „Je voelt je al zo op je gemak op Dancer, en Storm is nu wat van zijn frisheid kwijt."

Lou twijfelde, maar al gauw won haar opwinding. „Denk je echt dat het zou kunnen?"

„Tuurlijk. Hij is onwijs goed afgericht, Lou."

Lou haalde diep adem. „Oké dan."

Amy liet zich van Storms rug glijden. Lou stapte snel op en Amy controleerde of de beugels goed zaten. „Volgens mij moeten ze een gaatje langer." Ze maakte ze snel op maat. „Zitten ze goed zo?"

Lou knikte en stuurde Storm naar de hoefslag.

Amy keek toe, ze voelde zich opeens een beetje ongerust. Lou had de teugels veel strakker dan Storm gewend was. Toch stapte hij braaf voorwaarts, dus zei Amy maar niks. Ze wilde zich er niet mee bemoeien als dat niet nodig was.

Na een half rondje riep Lou lachend: „Zal ik een drafje proberen?"

Amy knikte. „Ga je gang."

Lou schopte met haar hakken tegen Storms buik en Amy realiseerde zich dat het helemaal geen goed plan was om haar op de schimmel te laten rijden. Lou had leren rijden toen ze nog heel klein was, op stevige, koppige pony's die hele duidelijke hulpen moesten hebben. Ze had nooit op gevoelige en perfect afgerichte paarden als Storm gezeten. Storm schrok zich een hoedje en schoot naar voren, waardoor Lou haar evenwicht verloor. Ze rukte per ongeluk aan de teugels en Storm schudde in protest zijn hoofd. Zijn drafpassen werden ongelijk.

Amy kon zich niet meer inhouden en begon aanwijzingen te roepen. „Beetje minder druk op de teugels, Lou! Probeer hem voorwaarts te houden, geef hem wat meer been..."

Maar Lou begreep het niet goed en gaf Storm weer een stevige schop. Hij ging ervandoor over de hoefslag, helemaal uit balans.

„Niet met je hakken! Dat is niet nodig, hij is geen pony..." Amy beet op haar lip. Ze klonk nu heel neerbuigend en dat was helemaal niet de bedoeling.

Lou liet Storm weer in stap overgaan en Amy rende naar haar toe. „Gebruik je zit en je benen," zei ze. „Hij luistert heel goed naar de hulpen, dus je hoeft alleen maar een beetje je gewicht te verplaatsen. Om aan te draven moet je diep in het zadel gaan zitten en je benen aandrukken. Meer is niet nodig."

Lou knikte met een frons van concentratie en stuurde Storm weer naar de hoefslag.

Amy keek scherp toe. Lou was nu gespannen en dat voelde Storm. „Ontspan je handen! Je polsen zijn te stijf. Je moet ze meer..."

Lou liet Storm halthouden en bleef voor zich uit zitten staren.

Amy ging naar haar toe en keek omhoog. „Gaat het?"

Tot haar verbazing zag ze dat Lou's lip trilde en dat er tranen in haar ogen stonden. „O Lou, het spijt me. Ik wou je niet..."

„Geeft niet," zei Lou. Ze slikte haar tranen weg en steeg af. „Ik ben er gewoon nog niet klaar voor," zei ze met een klein stemmetje en ze gaf de teugels aan Amy.

„Lou..." zei Amy, maar Lou was al weggelopen naar de rand van de bak, haar hoofd teleurgesteld gebogen.

Bedachtzaam aaide Amy Storm over zijn neus. Wat was het leven toch oneerlijk. Lou was degene die bedacht had om hun vader te gaan zoeken, die naar Engeland was gegaan. Zij had erop aangedrongen dat Amy hem zou ontmoeten, ook al wou ze dat toen niet. Maar toen ze elkaar uiteindelijk weer zagen, had hun liefde voor paarden en paardrijden Amy en haar vader weer bij elkaar gebracht.

En toen had hij hen Storm gegeven. Amy wist wel dat Lou teleurgesteld was dat hun vader meer aan Amy had gedacht dan aan haar. Maar nu ze zag hoe rot Lou zich voelde, realiseerde Amy zich pas hoe groot die teleurstelling was. Waarom had ze dat niet eerder gezien? Had hun vader enig idee hoe vreselijk stom hij was geweest?

Hoofdstuk 6

„Hallo, jongen. Hoe is het nou met je?" mompelde Amy tegen Boxer. De kleine koudbloed liet zijn hoofd hangen en Amy zuchtte wanhopig. Wat zag hij eruit! Zijn vacht was dof en droog, en je kon zijn ribben tellen. Hij ging hard achteruit. Ze aaide hem over zijn hals, hij voelde helemaal niet meer zacht aan.

„Nog niks beter?" Ty keek de box in.

„Nee." Amy pakte de emmer die in een hoek van de stal stond. „Ik heb hem net weer wat slobber met alsem gegeven, maar hij heeft het niet aangeraakt." De tranen prikten in haar ogen. Ze kon bijna niet aanzien hoe vreselijk ongelukkig het paard was. En er kwamen weer zulke nare herinneringen boven... Pegasus had er precies zo uitgezien voor hij doodging.

„Kom," zei Ty zacht. „Je moet wat eten. We gaan straks nog wel even bij hem kijken."

Amy knikte en trok de boxdeur achter zich dicht. Samen liepen ze naar de boerderij. Op woensdag aten ze altijd met z'n allen. Amy had er niet erg veel zin in. Ze vond het altijd verschrikkelijk om te moeten zeggen dat een paard niet vooruitging, natuurlijk vooral omdat ze het zo rot vond voor het paard. Maar als het haar niet lukte een paard te genezen, moest ze ook altijd aan Marion denken. Ze had alles wat ze wist van haar moeder geleerd en als er zoiets gebeurde, miste ze haar ontzettend.

„We zijn vandaag weer twee keer gebeld," zei Lou toen ze allemaal rond de eettafel zaten. „Er staan nu dus al vijf paarden op de wachtlijst. Maar er zal nog wel niks veranderd zijn sinds vorige week?"

„Nou," antwoordde Ty, „Dancer is bijna klaar om naar een nieuw huis te gaan. Ze is weer helemaal gezond, en goed op gewicht. En ze is aan allerlei soorten ruiters gewend. Ze kan nu makkelijk naar een nieuwe baas."

Ty had gelijk, maar Amy vond het vreselijk om te horen. Dancer was het enige paard waar Lou echt op durfde te rijden. Op de lieve bonte merrie had ze haar angsten overwonnen. Amy keek even opzij naar haar zus. Lou's gezicht verraadde niks.

„Als ze klaar is om te gaan, moet dat maar," zei Lou. „Ik ga wel op zoek naar een goeie nieuwe eigenaar."

Amy concentreerde zich op het eten. Deze keer begon niemand over wat zo voor de hand lag, namelijk dat Storm een plek innam die eigenlijk ook kon worden gebruikt voor een paard dat hulp nodig had.

Toen ze waren uitgepraat over Dancer, begon Ty over Boxer. „Het is nou wel duidelijk dat hij zijn eigenaar vreselijk mist, maar Ruth Adams heeft gezegd dat Hank niet meer op bezoek kan komen. Ik weet eigenlijk niet wat we nog kunnen doen."

„Boxer gaat heel hard achteruit," zei Amy treurig. „Hij kan zo echt niet naar een nieuw tehuis. Sorry, Lou."

„Ik begrijp het wel," zei Lou met een waterig glimlachje. „Je had gelijk, er is meer met Boxer aan de hand dan we eerst dachten."

Heel veel meer, dacht Amy. Maar ook al wisten ze nu wat het probleem was, ze konden Boxer nog steeds niet helpen…

Amy lag de hele nacht wakker, haar gedachten waren bij Hank. Ze werd heel verdrietig als ze dacht aan hoe verward de oude man was geweest en hoe blij hij was geworden toen hij zijn oude vriend terugzag. Hoe zou het zijn om langzaam dement te worden? Zou Hank in de gaten hebben wat er met hem gebeurde? Door wat Jack had verteld, dacht ze dat hij het een tijd lang geweten had moeten hebben, vanaf het moment dat hij zich realiseerde dat hij vergeetachtig begon te worden. Nu was het in zijn hoofd waarschijnlijk één grote warboel geworden. Alleen de sterkste herinneringen waren nog over.

De sterkste herinneringen, dacht Amy. Wat raar dat hij zijn eigen dochter, Ruth, niet altijd meer herkende, maar Boxer wel. Was dat gewoon toeval? Of was zijn leven zo geweest dat Boxer nog steeds heel duidelijk boven alles uitstak? Misschien was er dan iets wat Boxer zou kunnen helpen om zijn verdriet te verwerken.

Amy balde gefrustreerd haar vuisten. Die Ruth ook!

Waarom werkte ze nou zo tegen? Kon ze dan echt niet zien hoe sterk de band was tussen haar vader en zijn paard? Was het nou echt zo moeilijk om die twee elkaar af en toe te laten zien? Ze dacht terug aan hoe Hank naar Boxer toe was gelopen en hoe het paard van vreugde had gehinnikt. Dat was voor alle twee een helder moment geweest.

Maar als Ruth nou zou volhouden en Hank nooit meer langs zou laten komen, wat voor hoop was er dan nog? Amy's hart werd zwaar. Ze dacht weer aan Pegasus en hoe hij langzaam was weggekwijnd. Tranen prikten in haar ogen. En aan Sugarfoot, hoe vreselijk ziek die was geworden...

Opeens kreeg ze een geweldig idee. Sugarfoot! Sugarfoot was niet doodgegaan. Hij had de wil om te leven weer teruggevonden. Door voor hem te zingen, had Lou gevonden wat hem aan zijn oude baasje deed denken en had ze hem hoop gegeven. Er was weer wat geluk in zijn leven teruggekomen en hij was langzaam sterker geworden. Misschien kon Hank haar ook wel zoiets vertellen, een aanwijzing geven wat ze moest doen. Hij kende Boxer beter dan wie dan ook. Ze moest hem gewoon nog een keer spreken, voor zijn geheugen helemaal zou verdwijnen...

De volgende ochtend sprong Amy vastberaden uit bed. Nadat ze koffie had gedronken met Matt, zou ze naar Meadowbridge gaan en met de oude man gaan praten. Er moest toch iets te bedenken zijn voor Boxer? Ze vroeg aan

Ty hoe ze er moest komen en het bleek dat de bus er vlak in de buurt stopte.

„Ga je iets leuks doen?" vroeg Lou toen ze Amy haar jas zag aantrekken.

„Ik ga in de stad koffie drinken met Matt. En daarna ga ik naar Meadowbridge om te kijken of ik iets te weten kan komen dat Boxer zou kunnen helpen. Je weet wel, waar Ruth en Hank Adams wonen."

„Nou, dat zal niet makkelijk worden." Lou trok haar wenkbrauwen op. „Je hebt Matt volgens mij al eeuwen niet meer gesproken."

„Nee." Amy trok een vies gezicht. „Dat komt door Ashley."

„Doe hem de groeten van me."

„Doe ik, tot straks."

Het was waar, dacht Amy toen ze de oprijlaan af liep, dat alles was veranderd sinds Matt verkering had gekregen met Ashley. Nog maar zes maanden geleden waren Amy en Matt dikke vrienden geweest. Matt had Amy zelfs mee uit gevraagd, maar toen Amy nee zei, waren ze gewoon vrienden gebleven. Vlak daarop had Matt verkering gekregen met Ashley.

Amy stapte op de bus naar de stad en vroeg zich af wat Matt haar te vertellen had. Misschien ging het wel over Ashley, want zij en Matt maakten het constant uit, maar later legden ze het weer bij. Wat er ook gebeurd was, Amy maakte zich er niet al te veel zorgen over.

Matt zat al te wachten in Jerry's. Amy lachte en zwaaide naar hem door het raam voor ze naar binnen ging.

„Dat is lang geleden." Ze ging bij hem aan tafel zitten.

Matt keek een beetje ongemakkelijk. „Eh... ja."

Amy bestelde een chocolademilkshake en een bosbessenmuffin. „Ik rammel. Ik heb al uren geleden ontbeten."

„Geen kans op uitslapen dus, zelfs niet in de vakantie?" lachte Matt.

„Ik werk met paarden, weet je nog?" Amy stompte hem speels tegen zijn arm en nam een grote hap van haar muffin. „Zo." Ze keek Matt doordringend aan. „Hoe gaat het met je?"

Matt trok een zuur gezicht. „Je hoeft niet zo beleefd te doen, hoor Amy. Waarom vraag je het me niet gewoon recht voor z'n raap?"

„Oké," zei Amy voorzichtig. „Jij en Ashley zijn weer uit elkaar, hè?"

„Ja." Matt zuchtte.

„Wat rot," zei Amy medelevend. Ze wilde niet laten zien dat ze blij was met het nieuws. Dat had ze al eens eerder gedaan en toen was het weer aan geraakt tussen die twee. „Misschien verandert ze wel van gedachten."

„Waarom denk je dat zij het heeft uitgemaakt?" vroeg Matt een beetje beledigd.

„O, is dat dan niet zo?"

Matt schudde geërgerd zijn hoofd. „Nee, toevallig niet. Dat heb ik gedaan. Ik had genoeg van zo'n knipperlichtrelatie, dus heb ik er een punt achter gezet. En nu echt voor altijd. Zo'n loser ben ik nou ook weer niet, Amy. Ik laat me echt niet elke week dumpen omdat ik dat zo leuk vind."

Amy bloosde. Ze wist dat hij doelde op die keer dat zij

hem had afgewezen. „Dat bedoelde ik ook helemaal niet!" Ze veranderde snel het onderwerp. „Wist je dat Ashley een paar keer op Heartland is geweest?"

„Echt waar? Op Heartland?"

„Ja, ze wil dat ik haar ga helpen met haar nieuwe paard."

Matt keek haar aan alsof hij water zag branden. Hij leunde met grote ogen achterover in zijn stoel. „Ashley wil dat je haar helpt...?"

„Dat zei ze tenminste."

„En ga je dat ook doen?" vroeg Matt ongelovig.

„Ik zit er wel aan te denken," gaf Amy toe. „Bright Magic heeft hulp nodig. Hij heeft het nu echt rot bij Val Grant. En eerlijk gezegd, lijkt het alsof Ashley het niet meer ziet zitten."

Matt roerde in zijn koffie en nam een slok. „Nou," zei hij bedachtzaam, „ik ken eigenlijk ook niemand die harder hulp nodig heeft dan Ashley."

Nu was Amy degene die haar oren niet kon geloven. „Hè? Hoe bedoel je?"

Matt keek haar openhartig aan. „Ashley Grant is een van de ongelukkigste mensen die ik ken. Haar moeder heeft haar volledig onder de duim. Als ze ook maar iets verkeerd doet, zwaait er wat. Tuurlijk, ze heeft wel dure kleren en prachtige paarden en de beste kapper en dat soort dingen. Maar ze heeft niet wat jij hebt. Ze heeft geen goeie mensen om zich heen en ze heeft geen doel in haar leven. Ze is alleen maar bezig haar moeder tevreden te houden."

Amy dacht diep na. Wat Matt vertelde, was wel even wat anders dan Ashley altijd deed voorkomen.

„Weet je, Amy," ging Matt verder, „ik heb echt onwijs mijn best gedaan met haar. Ik voel namelijk heel veel voor haar. Maar het houdt ergens op, wat je kunt geven als je verkering hebt met iemand. Ashley heeft hulp nodig en ik ben niet degene die het haar kan geven."

„Nou, ik ben ook vast niet de juiste persoon," zei Amy aarzelend.

Matt hield zijn hoofd schuin en haalde zijn schouders op. „Ik zou het eigenlijk niet weten. Maar jij en Ashley zijn nou niet echt de beste vriendinnen. Ze heeft vast heel wat trots moeten wegslikken om jou om hulp te vragen."

„Daar heb je gelijk in," zei Amy langzaam. Ze prutste wat aan haar rietje. Ze had er al aan gedacht om ja te zeggen tegen Ashley om het paard te helpen, maar nu had ze eigenlijk ook wel medelijden gekregen met Ashley zelf. „Bedankt, Matt. Nou weet ik precies wat ik moet doen."

En dat was ook zo. Amy was vast van plan Ashley op te bellen en haar hulp met Bright Magic aan te bieden.

Nadat ze na een uurtje afscheid had genomen van Matt, liep Amy naar de bushalte om naar Davidstown te gaan. De bus kwam vlak langs Meadowbridge. Ze tuurde uit het raam naar de mooie landschappen van Virginia en dacht ondertussen na over wat Matt had gezegd. Niet alleen over Ashley, maar ook over haarzelf. Over hoe ze omringd werd door mensen die van haar hielden en dat ze iets had om voor te leven. Ze werd helemaal warm bij de gedachte aan Ty, Lou en Jack, en al het werk dat ze op Heartland deden. Als ze dat allemaal niet had, hoe zou haar leven er dan uitzien?

Amy stapte bij de halte uit en liep de paar honderd meter naar Meadowbridge. Eenmaal op de oprijlaan keek ze vol verbazing om zich heen. Ty had wel gezegd dat het een soort boerderij was, maar ze had zich daar een klein bedrijfje bij voorgesteld. Dit had ze helemaal niet verwacht. Een enorm erf, met een grote boerderij ernaast. Het was duidelijk een groot boerenbedrijf, dat nu in verval was geraakt. In de hoekjes en deuropeningen lagen vieze resten stro. Er waren geen dieren te bekennen en alles zag er verlaten en verwaarloosd uit. Naast de boerderij stond een auto geparkeerd, maar het was niet die waar Ruth in had gereden. Hij zou wel van de verpleegster zijn over wie Ty het had gehad. Ze klopte op de voordeur.

Een grote vrouw deed open. Ze was in de veertig en heel lang, en ze had een vriendelijk gezicht. Amy legde snel uit dat zij degene was die voor Hanks oude paard, Boxer, zorgde.

„Ik heet Martha," zei de vrouw. „Ik ben hier voor Hank. Ruth is aan het werk."

„Kan ik hem misschien even spreken?" vroeg Amy.

Martha twijfelde en nam Amy met haar pientere ogen scherp op. „Hij begrijpt niet zo veel meer, weet je."

„Ja," zei Amy zacht. „Maar Boxer herinnert hij zich nog wel, toch?"

„Zeker weten. Het is echter nog maar de vraag of hij weet wat die herinneringen betekenen."

„Ik zou het wel erg op prijs stellen als ik een paar minuten met hem mag praten."

Gelukkig leek het of Amy in de smaak was gevallen. Martha knikte en deed de deur wat verder open. „Dat kan wel. Kom binnen."

Amy liep achter haar aan een ruime woonkeuken in. Martha ging naar de grote koelkast met dubbele deuren. „Wil je wat drinken? Sinaasappelsap of zo?"

Amy glimlachte en schudde haar hoofd. „Nee, dank u. Ik blijf niet zo lang."

Martha schonk een glas voor zichzelf in. „Ik moet je toch waarschuwen. Als je over Boxer praat, kan dat weer wat echte herinneringen bij hem boven brengen. Daar kan hij soms van over zijn toeren raken, maar dat hoeft niet negatief te zijn."

„Maar waarom zou hij er overstuur van raken?" vroeg Amy.

Martha zuchtte. „Mensen met de ziekte van Alzheimer worden soms heel opgewonden als ze beseffen wat er met hen gebeurt. Vooral in de beginperiode van de ziekte is het heel moeilijk voor ze. Ze weten dat ze dement worden, maar kunnen er niks aan doen. Moet je je voorstellen hoe dat is. Later realiseren ze zich het niet meer zo. Wat niet weet, wat niet deert."

„Dus als hij zich Boxer herinnert, beseft hij misschien ook weer wat er met hem aan de hand is?" vroeg Amy langzaam.

„Ja, maar het is ook niet goed om mensen overal tegen te beschermen," ging Martha verder. „Het is misschien moeilijk voor hem, maar als hij zich Boxer herinnert, onthoudt hij ook wie hij zelf is. Dat helpt hem zijn waardigheid te behouden." Ze ging wat zachter praten. „Als je het mij vraagt, is het eeuwig zonde dat het paard weg moest."

Amy keek Martha vragend aan. „Echt? Waarom zegt u dat?"

Martha deed haar mond open, maar bedacht zich. „Het is niet aan mij om daar iets over te zeggen."

„Alstublieft," zei Amy. „Ik probeer te begrijpen wat er met Boxer is gebeurd. Alles wat u me kunt vertellen, zou enorm helpen."

Martha tuitte haar lippen. Amy zag dat ze haar woorden zorgvuldig afwoog. „Ik wil niet oordelen," zei ze. „Ruth heeft het niet makkelijk gehad en ze heeft haar best gedaan. Maar met Boxer..."

„Wat is er dan gebeurd?"

„Er moesten moeilijke beslissingen worden genomen. Behalve Ruth was er niemand om voor Boxer te zorgen. Dus besloot ze dat hij weg moest. Anders had ze er iemand voor moeten inhuren."

„Vindt u dat ze dat had moeten doen?"

„Zoals ik al zei, daar kan ik niet over oordelen. Maar Boxer was Hanks laatste binding met de echte wereld. Het leek wel of Ruth dat niet kon zien. Ze zei dat ze al genoeg op haar bord had..." Martha's stem stierf weg. „Kom, dan breng ik je naar Hank. Hij zit achter in de zon."

Martha stapte vlot de keuken uit en Amy liep achter haar aan door het huis naar een open veranda, waar Hank in een rieten schommelstoel rustig zat te schommelen.

„Er is iemand voor je, Hank," zei Martha vrolijk. „Ze komt met je over Boxer praten."

„Boxer! Is-ie hier?" vroeg de oude man gretig. Hij krabbelde overeind.

„Nee nee, blijf maar zitten," kalmeerde Martha hem. „Ze wil alleen met je over hem praten."

„Wat is er met Boxer?" Hanks stem klonk bezorgd. „Breng me maar naar hem toe, dan zorg ik wel dat het goed komt..."

„Hij is hier niet, Hank," herhaalde Martha. „Met Boxer is alles prima. Ik bedoelde dat Amy voor hem zorgt, net als jij vroeger deed."

Hank staarde Martha even niet-begrijpend aan. Daarna ontspande hij zich een beetje en draaide zich naar Amy. Ze ging naast hem op een stoel zitten en glimlachte.

Martha pakte een dienblad van tafel en knikte naar haar. „Ik zal jullie alleen laten. Roep maar als je iets nodig hebt."

„Bedankt," zei Amy. Ze schoof haar stoel dichter naar die van Hank en haalde diep adem. Dit zou niet gemakkelijk worden. „Hank, ik ben Amy," begon ze. „Weet u dat nog? Ik zorg voor Boxer op Heartland. U bent daar bij ons langsgekomen."

Hank glimlachte en klopte haar op haar hand. „Je bent een lieve meid. Ik weet dat je heel hard werkt."

„Ja. We doen echt ons best voor Boxer. Hij mist u."

„Maak je nou maar geen zorgen over Boxer. Je hebt het al druk genoeg," antwoordde Hank.

„Eh... ja. Maar toch zorgen we goed voor Boxer."

„Nee nee," drong Hank geruststellend aan. „Laat Boxer maar aan mij over. Al die boeken, jij hebt al genoeg aan je hoofd. Ik heb het altijd al gezegd: Opleiding, daar gaat het om. Opleiding, ja."

Amy staarde hem aan, helemaal in de war. Het leek wel of Hank alweer dacht dat ze Ruth was. Het had duidelijk geen zin om ertegen in te gaan. Ze kon maar beter met hem meepraten om te kijken of ze iets te weten kon komen.

„Ja, ik weet het. Mijn opleiding is heel belangrijk," zei ze langzaam. „Dat is wat u voor me wilt, hè?"

Hank glimlachte liefdevol. „Ik heb altijd al gezegd dat het boerenleven niet genoeg voor je zou zijn. Dat je meer kon bereiken in het leven. Ik heb altijd gezegd dat we het wel zouden redden en dat doen we ook. Zeker weten."

Amy dacht vlug na. „Wie is we?" vroeg ze voorzichtig. „Wie redden het wel?"

Hank schudde ongeduldig zijn hoofd. „Ik en Boxer natuurlijk. Heus wel. Ik en Boxer, wij krijgen het wel voor elkaar. De andere kennen ons allemaal, dus wij zorgen voor ze. Maak jij je er nou maar niet druk over."

Amy kon hem maar moeilijk volgen. Ze? Over wie had hij het toch?

„Wat doet u dan om voor ze te zorgen? Wat doet u met Boxer?"

Hank strekte zijn handen voor zich uit en telde zorgvuldig op zijn vingers af. „Nou, we staan 's ochtends heel vroeg op. Dan gaan we naar de weilanden om de hekken open te doen. Dan controleren we of ze allemaal gezond zijn. En dan halen we ze naar binnen, allemaal. Allemaal, ja. Elke dag. Dus maak je maar geen zorgen."

„Dat is mooi," mompelde Amy. „Dat is mooi."

„Begrijp je het nou? Ik kan het niet aanzien als je je zorgen maakt. Zo is het echt het beste, kind, neem dat nou maar van mij aan. Je zal me er later nog dankbaar voor zijn, heus."

Hank stopte met praten en staarde uit het raam. De stralen van de middagzon vielen op zijn gezicht en hij knipperde langzaam.

Amy bleef ook stilletjes zitten denken. Wat Hank ook had gedaan in zijn leven, het was niet makkelijk geweest. Maar Hank wou dat Ruth zich nergens druk om maakte, dat ze zorgde dat ze een goede opleiding kreeg. Maar waarom Ruth? Had Hank dan geen vrouw, Ruth geen moeder? Als die er al was geweest, nu was ze in elk geval weg.

Daarna vroeg ze zich weer af wie 'ze' dan waren. Wat hadden Hank en Boxer gecontroleerd, zo vroeg in de ochtend? Meadowbridge moest vroeger een werkende boerderij zijn geweest, maar wat voor boerderij? Hank had het over paarden gehad, maar verder niks.

„Waarvoor zorgen jullie dan, u en Boxer? Wat is dit voor boerderij?"

Hank glimlachte toegeeflijk. „Wat een boel vragen toch. Breek jij daar je hoofd nou niet over. Ga jij maar weer terug naar je studieboeken."

Amy realiseerde zich dat Hank in zijn oude patroon was vervallen en dat het niet veel zin had om door te gaan.

Zijn gerimpelde gezicht zag er uitgeput uit. Ze stond op.

„Martha!" riep ze zacht.

Martha verscheen ogenblikkelijk in de deuropening. „Gaat het?"

„Prima," zei Amy. „Maar ik denk dat ik nu weg moet gaan."

Martha kwam naar hen toe en pakte Hanks hand. „Wil je nu wat rusten?" vroeg ze vriendelijk.

De oude man keek haar nietsziend aan. Amy zag dat hij helemaal in zichzelf was gekeerd. Hij was verdwenen, voor een tijdje in elk geval.

Martha ging weer rechtop staan. „Ik moet me even met hem bezighouden. Kom je er zelf uit?"

„Natuurlijk," zei Amy. „Bedankt dat ik even met hem mocht praten." Ze pakte Hanks andere hand. „Dag, Hank." De oude man leek haar niet meer te horen.

Terug op het erf besloot Amy nog even rond te kijken. Ze liep over de oprijlaan verder langs de boerderij, waar tot haar verrassing een hele rij koeienstallen stond. Ook op het voorste erf had ze al een paar stallen gezien. Amy bedacht dat Meadowbridge heel veel werk moest zijn geweest toen het nog een werkende boerderij was. Ze stak haar hoofd om de deur van een grote, lange stal en zag allemaal rijen melkplaatsen. Het was dus een melkveehouderij geweest, en niet zo'n kleintje ook.

Amy vroeg zich af hoeveel paarden er hadden gestaan. Ze liep terug naar het voorste erf, waar ze een schuur had gezien met iets van paardenboxen. Het was een rij van vier boxen, maar zodra Amy naar binnen liep, zag ze dat in de meeste al heel lang geen paarden hadden gestaan. Een van de boxen lag vol met een stapel strobalen en in twee andere stonden allemaal boerenwerktuigen. Alleen de laatste box zag eruit alsof hij onlangs nog was gebruikt.

Amy keek naar binnen. Op de vloer lag nog een dikke laag stro en er stond een voerbak in een hoek. Het was eigenlijk een hele gewone paardenstal. Amy prutste peinzend aan de grendel op de deur. Hier werd ze niks wijzer van, dus ging ze maar terug naar de bushalte.

Achter in de bus terug naar Heartland, dacht Amy na over wat ze had ontdekt. Het was alsof Hank was blijven hangen in het verleden als de naald van een pick-up op een gekraste plaat, en steeds hetzelfde liedje speelde. Ze vroeg zich af of hij altijd zo was of alleen als hij Amy zag. Misschien deed ze hem aan een bepaalde periode van zijn leven denken, toen Ruth net zo oud was geweest als zij, of iets ouder. Ze wist het natuurlijk niet zeker. Maar wat wél duidelijk was, was dat hij vreselijk zijn best had gedaan om zijn dochter alles te geven, hoe moeilijk dat ook voor hem was geweest. En Boxer? Amy dacht dat Boxer de reden was geweest waarom hij het allemaal had kunnen volhouden.

Amy's gedachten dwaalden af naar Ruth. Die was veel moeilijker te begrijpen, vond ze. Ruth had Boxer naar Heartland gestuurd, terwijl dat nou juist het enige was dat Hank nog in de werkelijkheid hield. Hoe had ze dat toch kunnen doen? Ging het echt alleen om geld? Hank had Amy juist zo'n goede vader geleken. Waarom zou Ruth dan het enige dat nog iets voor hem betekende, wegdoen? Ze begreep er echt geen snars van.

Ze moest ook steeds aan Tim denken, haar eigen vader. Hij was er nooit voor Amy geweest, had zich nooit druk gemaakt om haar toekomst, en nooit door dik en dun achter haar gestaan om haar te steunen in wat ze wilde doen. Hij had al die jaren niks van zich laten horen. Toen ze hem eindelijk weer had teruggezien, had het even geduurd voor ze had begrepen dat hij alleen maar bij zijn vrouw was weggegaan omdat hij niet met zijn verwondingen had kunnen leven. Hij was altijd van zijn dochters blijven houden. Maar bij Ruth was het toch heel anders geweest? Die had toch altijd geweten dat haar vader van haar hield?

Al die gedachten maalden door Amy's hoofd in de bus op weg naar Heartland. Ze stapte gefrustreerd uit en vroeg zich af of haar bezoekje eigenlijk wel nut had gehad. Ze was gegaan omdat ze Boxer wilde helpen, maar ze was er niks mee opgeschoten.

Halverwege de oprijlaan naar huis hoorde ze opeens opgewonden stemmen roepen. Ty en Lou kwamen uit de boerderij op haar af racen, zwaaiend met hun armen.

„Wat is er?" riep Amy uit. Ze begon ook te rennen. „Is er iets gebeurd?"

„Amy!" hijgde Lou. „Je komt als geroepen. Boxer is verdwenen!"

Hoofdstuk 7

„Verdwenen?" Amy staarde haar met open mond aan. „Hoe bedoel je, verdwenen?"

„Ik was net de achterste stal aan het aanvegen," legde Ty uit, „en toen zag ik opeens dat Boxers deur op een kier stond. Ik ging dus aan Ben vragen of hij hem buiten had gezet, maar dat was niet zo. Hij staat niet op het land."

Ze haastten zich met z'n drieën terug naar het erf. „Maar hoe is hij er dan uit gekomen?" vroeg Amy.

Ty haalde hulpeloos zijn schouders op. „De grendel was los, maar ik heb geen idee hoe dat komt."

Jack kwam hen op het erf tegemoet. „Ik heb in alle stallen en schuren gekeken," zei hij met een bezorgd gezicht. „Volgens mij kunnen we ons het beste opsplitsen en elk hoekje van de boerderij en de weilanden uitkammen."

Amy dacht koortsachtig na. „Opa, staan er hier in de buurt ergens koeien?"

Jack Bartlett keek haar perplex aan. „Abram Marsh heeft een kleine kudde. Ik denk dat ze ergens achter de verste weilanden staan, bij de rivier. Maar hoezo dan? Wat hebben koeien ermee te maken?"

„Gewoon een ideetje," zei Amy. „Ik ga daar eerst even kijken."

Ze liep langs de stallen naar de weilanden die erachter lagen. Misschien had Boxer zijn instinct gevolgd en was hij op zoek gegaan naar de koeien. Ze racete langs het pad naar de verste weilanden tot ze er steken in haar zij van kreeg. Ze ging hijgend langzamer lopen en tuurde met haar hand boven haar ogen tegen de zon om zich heen. Aan de linkerkant, achter de weilanden van Heartland, stond de kleine kudde koeien. Ze hadden hun koppen niet naar beneden om te grazen, maar stonden met z'n allen opzij te kijken naar iets wat Amy net niet kon zien. Ze begon weer te rennen, de bocht in het pad om. Opeens bleef ze stokstijf staan.

Boxer stond met zijn hoofd over het hek naar de koeien te staren, die allemaal terugkeken. Amy sloop geluidloos naar hem toe, om hem niet te laten schrikken.

„Boxer," zei ze zacht.

Boxer keek om, maar verzette geen stap. Hij draaide zijn hoofd terug naar de koeien en hinnikte zachtjes. De koeien keken hem wantrouwend snuivend aan.

Amy liep langzaam verder, steeds dichterbij. Boxer ging er nog steeds niet vandoor. Ze ging bij zijn hoofd staan en pakte hem kalm bij zijn halster. „Dag, jochie. Wat heb je ons laten schrikken." Ze kriebelde over zijn neus. Wat zag hij er kalm en vredig uit. Zo had ze hem nog nooit gezien, behalve die keer dat Hank langskwam. Ze trok zacht aan zijn halster. „Kom maar mee," zei ze spijtig. „Je kunt hier niet blijven staan. We moeten de anderen gaan vertellen dat ik je gevonden heb."

Boxer liep braaf met haar mee naar het erf.

Amy voelde opeens weer een sprankje hoop. Misschien was er toch iets wat dit paard kon helpen...

Amy bracht Boxer terug naar zijn stal. Ze schoof de grendel stevig dicht en pakte snel haar mobieltje uit haar tas om haar opa te bellen. „Ik heb hem gevonden! Ik zal de anderen gelijk ook bellen."

„Hartstikke goed!" Jack klonk opgelucht. „Ik zie je zo wel bij de boerderij."

Twintig minuten later kwamen Ty en Lou ook de keuken binnen om het te vieren met een kop koffie en koekjes.

„Waar was hij dan?" vroeg Lou.

Amy vertelde over haar bezoek aan Meadowbridge.

Jack Bartlett, die meer verstand had van het boerenbedrijf dan de anderen, luisterde ingespannen.

„Een melkveehouderij is zwaar werk," zei hij, toen Amy klaar was. „Vreselijk vermoeiend. Melkkoeien zijn net als kinderen, je kan ze geen halve dag alleen laten. Er is altijd wat, zoals melken en voeren. En als die boerderij echt zo groot was als je zei..."

„Ik had het gevoel dat het een enorm bedrijf is geweest, voordat Hank ziek werd, dan," vertelde Amy. „Hij moet nog meer paarden hebben gehad, maar dat was al een tijd geleden. Boxers stal was de enige die eruitzag alsof hij onlangs nog was gebruikt."

„Misschien had hij niet veel mensen om hem te helpen,"

zei Jack. „Hij en Boxer hebben het vast met z'n tweetjes moeten doen."

„Dat idee had ik ook toen ik met Hank praatte. Af en toe herinnert hij zich de namen van de andere paarden nog, maar meestal heeft hij het alleen over zichzelf en Boxer, en hoe ze het best redden samen. Ze moeten echt onafscheidelijk zijn geweest."

„Een hecht team." Jack knikte. „Nou, dat zou wel verklaren waarom Boxer op zoek ging naar koeien. Dat was waar hij voor leefde vroeger."

„Maar ik begrijp nog steeds niet waarom Ruth Boxer zo graag naar Heartland wilde sturen," zei Lou peinzend. „En waarom ze niet wil dat Hank langskomt. Het is toch juist goed voor hem om zijn oude vriend af en toe te zien?"

„Zoiets zei de verpleegster ook al," merkte Amy op. „Ze zei dat Ruth niet meer voor Boxer kon zorgen, maar liet ook doorschemeren dat het best wel had gekund als ze het had gewild."

„Dus eigenlijk ligt het echte probleem bij Ruth," zei Ty bedachtzaam.

„Dat lijkt er wel op," knikte Amy.

Het werd even stil rond de keukentafel.

„Weet je waar we ook nog niet aan hebben gedacht?" zei Lou opeens. „Hoe is Boxer eigenlijk zijn box uit gekomen? Ik kan me niet voorstellen dat iemand de deur open heeft gelaten. Zou hij zelf de grendel hebben opengemaakt?"

Amy en Ty keken elkaar geschrokken aan. Ja, natuurlijk! Sommige paarden konden met hun lippen sloten openkrijgen. Amy dacht opeens terug aan de box op Meadowbridge. Die had geen simpele grendel gehad, maar er had nog een extra klepje omheen gezeten.

Ty schoof snel zijn stoel achteruit. „Ik ga meteen even kijken."

„Ik ga met je mee," zei Amy.

Tot hun grote opluchting stond Boxer nog steeds in zijn stal, met zijn billen naar de deur.

Ty bekeek de grendel. „Ik kan niet zien of hij hem zelf open heeft gemaakt. Maar we moeten het maar wat veiliger maken, voor de zekerheid."

„We kunnen er zolang wel iets omheen binden," stelde Amy voor. „En dan moeten we hem maar goed in de gaten houden, om te zien of hij eraan gaat zitten friemelen."

„Ik zoek zo wel een strotouwtje," zei Ty.

Amy lachte en gaf hem snel een zoen. „Bedankt. Ik ga met Dylan aan de slag, voor het te laat wordt."

Ze ging het grote, lichtbruine paard halen. Hij had een heel ongewoon probleem, hij was namelijk vreselijk onhandig. Toen hij net op Heartland was gekomen, leek het wel of hij geen idee had waar zijn voeten eigenlijk waren. Amy en Ty hadden aan zijn coördinatie gewerkt door hem door een doolhof van balken te laten stappen. Hij was al enorm vooruitgegaan, maar hij was nog steeds niet klaar om naar zijn eigenaar terug te gaan.

Amy liep een half uur met hem over de balken en lette geconcentreerd op waar hij zijn voeten zette. Pas toen ze hem terugleidde naar het erf, merkte ze dat de schaduwen al langer werden en de zon laag aan de hemel stond. Ze realiseerde zich opeens dat ze afgepeigerd was. Het was ook een lange dag geweest. Het leek wel een eeuw geleden dat ze met Matt een milkshake had gedronken in Jerry's.

Denkend aan Matt herinnerde ze zich dat ze Ashley nog moest bellen over Bright Magic. Ze zette Dylan op stal en ging naar binnen.

„Jeetje, wat zie jij er moe uit," zei Lou, toen Amy binnenkwam. „Hoe gaat het met Boxer?"

„Prima wel. Hij staat in elk geval nog steeds keurig in zijn box. En ja, ik heb het echt helemaal gehad voor vandaag. Maar ik moet eerst nog even Green Briar bellen, voor ik het vergeet."

„Voor Daniël?"

Amy schudde haar hoofd. „Voor Ashley, eigenlijk." Lou trok verbaasd haar wenkbrauwen op en Amy lachte. „Ik weet wat je denkt, maar Matt heeft me wat dingen verteld waardoor ik nu een heel ander idee over haar heb gekregen."

„Echt waar? Dus je weet nu zeker dat ze een hopeloos geval is?"

„Dat zou je wel denken," zuchtte Amy. „Maar zo is het niet. Ik wil haar toch nog een kans geven."

„Nou, ik wens je succes," zei Lou.

Amy pakte de telefoon en toetste het nummer van Green Briar in. Ze hoopte dat Val niet op zou nemen en tot haar opluchting kreeg ze Ashley zelf.

„Hoi, Ashley," zei ze aarzelend. „Met Amy."

„Amy!" slijmde Ashley. „Wat lief dat je belt."

„Eh... ik bel over Bright Magic."

„O! En?" Ashley klonk onverschillig.

„Hoe gaat het met hem? Heb je al op hem gereden?"

„Mijn moeder. Ik wou op jou wachten tot ik het zelf weer ging proberen."

Ashley's stem klonk mierzoet en dat irriteerde Amy gelijk. Alsof Ashley ooit op haar zou gaan zitten wachten! Maar ze dacht weer aan wat Matt had gezegd en hield zich met moeite in. „Nou, ik wil je wel helpen, als je dat nog wilt," zei ze zo vriendelijk mogelijk.

„O Amy, dat is te gek!" riep Ashley uit.

Amy moest toegeven dat ze echt enthousiast klonk.

Ashley ging fluisterend verder. „Kun je misschien morgenochtend langskomen? Mijn moeder is de hele dag weg, dus dan merkt ze het niet als Bright Magic een beetje moe is."

Amy wist niet wat ze moest zeggen. Het leek wel of Ashley alles al helemaal had gepland, maar had ze geweten dat Amy ja zou zeggen? Ze slikte weer eens. „Ik kijk wel even. Iemand zal me moeten brengen. Ik laat het je weten."

„O, maak je geen zorgen, Amy," zei Ashley vlug. „Ik stuur onze chauffeur wel."

Amy begon er steeds meer van te balen. Ze had geen zin om braaf te doen wat Ashley allemaal had uitgedacht. „Het gaat niet alleen om hoe ik er moet komen, Ashley," zei ze ijzig. „Ik moet ook mijn werk hier plannen. Ik bel je nog wel."

„Probeer alsjeblieft iets te regelen, Amy. Ik heb je hulp hard nodig. Ik denk dat je Magics enige hoop bent."

Amy wist niet zo goed wat ze ervan moest denken. Dat kon Ashley toch niet menen? Maar iets in haar stem klonk nu echt oprecht. „Ik zal mijn best doen," hoorde ze zichzelf zeggen.

„O, bedankt." Ashley fluisterde bijna. „Ik spreek je snel."

„Wáár wil je heen?" riep Ty uit, toen ze de situatie aan hem uitlegde.

Amy schuifelde wat met haar voeten. Ty vond wedstrijden sowieso onzin. Hij vond dat wat ze op Heartland deden niks te maken had met het winnen van wedstrijden. Ze herinnerde zich wat hij ervan had gevonden dat ze Daniël met Amber wou helpen, voordat hij had begrepen wat een aardige jongen Daniël was. En nu kwam Amy zeggen dat ze een wedstrijdpaard ging helpen, het paard van Ashley nog wel!

„Ty, ik weet dat het niet jouw ding is. Als het geen zomervakantie was geweest, had ik er niet over gepiekerd. Maar ik heb nu toch wat meer tijd en... Nou ja, Bright Magic heeft echt hulp nodig."

„Amy Fleming, je blijft me verbazen!" zei Ty hoofdschuddend. „Oké, ik breng je wel naar Green Briar. Ik moet daar toch in de buurt zijn, ik neem namelijk die middag vrij."

De volgende dag maakte Amy het werk af dat elke ochtend moest gebeuren, trainde even kort met Storm en deed daarna T-touch bij Dylan. Daarna klom ze bij Ty in de auto.

„Ik ging vanochtend Boxers deur checken," zei hij toen ze de oprijlaan af reden. „Hij had op het touw staan kauwen, dus het lijkt er inderdaad op dat hij zelf zijn deur open heeft gekregen gister."

„Nou, dat is dan eenvoudig opgelost. Maar Ruth had ons wel eens kunnen vertellen dat hij zulke stunts uithaalt."

„Misschien wist ze het niet. Ze zei toch dat ze niet zo veel met de paarden te maken had? Dus als er een bijzonder slot op de staldeur zat op Meadowbridge, is dat haar waarschijnlijk niet eens opgevallen."

„Dat zal wel," zei Amy stroef. Lou had broodjes voor hen gesmeerd en ze gaf er een aan Ty. Ze reden een tijdje in stilte verder.

„Je... je vindt die Ruth maar niks, hè?" vroeg Ty opeens.

Amy keek snel opzij. „Hoe bedoel je?" vroeg ze verbolgen. Of ze de mensen die ze hielp nou wel aardig vond of niet, dat had er volgens haar niks mee te maken. Hoe kwam hij daar nou bij? Als een paard hulp nodig had, betekende dat soms dat ze de eigenaar ook moesten helpen. Maar op Heartland konden ze toch niet kieskeurig zijn over wie ze moesten helpen? Ze was nota bene op weg om Ashley te helpen. Ashley!

„Je vindt dat ze Hank een rotstreek heeft geleverd door Boxer naar Heartland te sturen. Ze begrijpt gewoon niks van de relatie tussen mensen en paarden. Dus vind je haar stom," zei Ty. „Heb ik gelijk of niet?"

Amy's wangen begonnen te gloeien. Ze dacht even na. Misschien had Ty wel gelijk... Ze mocht Ruth niet. Hoe meer ze had gehoord over Hank en Boxer, hoe raarder ze het vond dat Hank zijn oude vriend niet mocht zien. En ze moest ook toegeven dat toen ze zag hoeveel Hank voor zijn dochter over had, ze zich best rot had gevoeld. Was ze misschien jaloers op zo'n vader? „Ik... ik weet niet."

„Denk je niet dat Ruth zich misschien schuldig voelt?" vroeg Ty zacht.

„Schuldig?" Amy wist niet wat ze hoorde. „Nee, zeg! Waarom zou ze zich schuldig voelen?"

Ty fronste bedachtzaam. „Als je ouders problemen hebben, voel je je daar schuldig over, zelfs als het jouw schuld helemaal niet is. En als je dan ook nog voor ze moet zorgen, kun je hen dat kwalijk gaan nemen. Je wílt dat natuurlijk niet zo voelen en je weet ook dat het nergens op slaat, dus ga je je daar schuldig over voelen."

Er was iets vreemds aan de manier waarop Ty dat zei en Amy keek hem nieuwsgierig aan. „Ty," vroeg ze voorzichtig, „zeg je dat omdat je je zelf ook schuldig voelt om je moeder?"

Ty aarzelde even. „Eh... nou... ja, eigenlijk wel," gaf hij toe. „Ik kan er niks aan doen. Mijn vader vond het altijd vreselijk dat ik met paarden wilde werken. Hij vindt het speelgoed voor rijke, verwende meisjes. En telkens als hij daar weer over begint te zeuren, raakt mijn moeder helemaal over haar toeren. Dan krijgt ze een terugval. Dus heb ik het gevoel dat het mijn schuld is dat ze depressief is, of dat ik het in ieder geval niet makkelijker maak voor haar.

Daarom doe ik zo hard mijn best om haar blij te houden."

„En het is nooit genoeg?" vroeg Amy zacht.

„Nee. Het wordt eigenlijk nooit beter. Het gaat altijd op en neer. Maar ja... ik werk ook nog steeds met paarden."

„Maar dat kun je toch ook niet opgeven?" riep Amy uit. „Je hebt een hele bijzonder gave."

„Ja." Ty haalde verdrietig zijn schouders op. „Het is alleen zo jammer dat sommige mensen daar anders over denken."

Amy staarde uit het raam. Nu was het haar beurt om zich schuldig te voelen. Ty had zo veel problemen en dat had ze nooit geweten. Ze voelde zich heel rottig. „Wil je daarom niet dat ik ze ontmoet?" zei ze zacht. „Omdat het allemaal alleen maar erger wordt als je iemand van Heartland mee naar huis neemt?"

Ty knikte. „Eigenlijk wel." Hij zuchtte. „Het is gewoon... Mijn moeder maakt zich altijd zo druk over dingen... Ik wil haar dat graag besparen."

„Ty, het spijt me echt heel erg dat ik je nooit iets heb gevraagd over je familie. En ik vind het echt onwijs rot dat je al die problemen met niemand kon delen."

„Het geeft niet. Als ik je hulp nodig had gehad, had ik het je heus wel gevraagd. Dat weet je toch. Zoals ik al eerder zei, als ik op Heartland ben, probeer ik er niet meer aan te denken. Dat is makkelijker."

„Nou begrijp ik waarom je me niet bij je thuis uitnodigt," zei Amy.

Ze kwamen aan bij het hek van Green Briar en Amy deed

het portier open. „Zet me hier maar af, dan loop ik het laatste stukje wel. Tot morgen."

„Succes!" riep Ty haar na.

Amy volgde de keurig aangeharkte oprijlaan naar de stallen. Aan beide kanten van het pad graasden paarden in weitjes met strakke, witte hekken. Ze vroeg zich af waarom ze in 's hemelsnaam was gekomen. Ze haatte het hier! Maar ze had geen tijd om zich te bedenken, want Ashley stond haar al op te wachten naast Bright Magic.

Ashley glimlachte. „Hoi, Amy." Zoals gewoonlijk zag ze eruit als een fotomodel met haar witte rijbroek en dure bodywarmer. „Ik heb een van de stalhulpen Bright Magic al laten opzadelen. Maar hij is wel wat fris, ben ik bang."

Amy keek naar Bright Magic, met zijn trotse, krachtige hoofd. Hoewel er nog niemand op zijn rug zat, stond hij onrustig op het scherpe bit te kauwen. Amy aaide hem kalmerend over zijn hals.

„Oké, laten we eerst al dat ijzer er maar eens af halen. Je reed hem eerst toch met een trensje? Ik dacht dat je dat weer wou gaan doen."

„Dat was ik wel van plan," zei Ashley haastig. „Maar het is echt geen goed idee. Met een trens is hij totaal niet meer te houden."

Amy tuitte haar lippen. „Het blijkt wel dat hij met een scherp bit en een kinketting ook niet te houden is. Als je wilt dat ik met hem werk, moet je toch echt een trens gaan zoeken. En die slofteugel kan ook niet. Haal maar een gewone springteugel, of nee, haal hem er maar helemaal af. Volgens mij heeft-ie dat niet nodig."

Ashley keek een beetje verbaasd, maar deed alles wat Amy zei. Toen Bright Magic zijn oude tuig weer om had, gingen ze op weg naar de trainingsringen. Meestal kon Ashley niet wachten om op te scheppen over hoeveel beter en groter die waren dan op Heartland, dat ze meer bakken en meer stallen hadden. Maar vandaag leidde ze Bright Magic zonder iets te zeggen naar de kleinste bak en deed het hek open.

„Rij maar even rond, zodat we kunnen zien hoe hij loopt," stelde Amy voor toen ze in het midden stonden.

Ashley trok een beetje bleek weg. „Maar ik dacht dat jij dat ging doen! Ik ga er mooi niet op met die trens, dan laat-ie me alle hoeken van de bak zien."

„Maar je hebt er niks aan als ik met Bright Magic werk," legde Amy uit. „Het probleem ligt niet alleen bij hem. Paarden gaan niet uit zichzelf opeens slecht lopen. Ik kan Bright Magic niet gewoon even oplappen en hem dan weer teruggeven aan jou." Amy legde haar vinger op het grote verschil tussen Green Briar en Heartland. Op Heartland draaide alles om het begrijpen van de paarden en hun relatie met mensen. Die twee dingen kon je nooit gescheiden zien. Het ging er niet alleen maar om dat de symptomen van het paard werden bestreden, zoals bij Val Grant die alleen om resultaten maalde.

Maar Ashley was er nog niet aan toe om dat te horen. Ze wuifde Amy's bezwaren weg. „Dat zal wel. Ga jij er nou deze eerste keer op. Alsjeblieft? Ik heb niet meer op hem gezeten sinds… sinds die wedstrijd."

Ashley's stem trilde een beetje en Amy keek verrast

opzij. Er ging haar ineens een lichtje op. Ashley mocht er dan wel heel zelfverzekerd uitzien, in werkelijkheid durfde ze niet meer. Als ze sinds de wedstrijd niet meer op Bright Magic had gereden, zou ze wel helemaal niet meer in het zadel zijn geklommen, ook niet bij een ander paard. Amy aarzelde even, maar pakte toen toch de teugels van haar over. „Oké. Ik ga er wel op tot hij wat energie kwijt is."

Ze steeg op en liet de warmbloed over de hoefslag stappen. Bright Magic schudde met zijn hoofd en ging gelijk in draf over.

„Rustig maar, jochie," fluisterde Amy. Het paard dacht blijkbaar dat hij onmiddellijk aan het werk gezet zou worden. Ze aaide hem over zijn hals en ging weer in stap over. Ze wilde hem geen reden geven om over zijn toeren te raken. Ze reed met een lange teugel en gaf alle hulpen alleen met haar zit en benen. Het was een heel goed afgericht paard en al snel begon hij op te letten. Hij ontspande zich, strekte zijn hals en nam het bit aan.

„Goed zo," moedigde Amy hem aan. „Heel braaf." Pas toen ze zeker wist dat hij kalm en relaxed was, vroeg ze hem aan te draven. Ze stuurde hem de baan rond en reed voltes en achten om hem in evenwicht te brengen en zijn draf regelmatiger te krijgen. Zoals ze al had gedacht, was er eigenlijk helemaal niks mis met het paard. Hij was echt een perfect wedstrijdpaard, verstandig en braaf aan de hulpen, maar toch oersterk en soepel. Hij deed Amy aan Storm denken. Bright Magic zou een serieuze tegenstander voor hem kunnen zijn bij wedstrijden, als hij tenminste op de goede manier zou worden gereden.

Toen ze ook nog een paar rondjes met hem had gegaloppeerd, reed Amy terug naar Ashley. „Hij loopt nu prima. Zullen we een paar sprongetjes proberen? Niet heel hoog of zo, gewoon twee of drie simpele breedtesprongen. Kun je misschien iets neerzetten?"

Ashley riep een stalhulp om te helpen en er stonden al snel een paar hindernissen klaar. Amy stuurde Bright Magic op de eerste af. Meteen gooide hij zijn hoofd in de lucht en stormde erop af. Amy liet hem gaan en hij maakte een enorme sprong waardoor ze bijna uit het zadel vloog.

„Ho zeg, doe eens normaal." Amy liet hem weer in draf overgaan. Het was wel duidelijk dat Bright Magic verwachtte ruw en snel over de hindernissen te worden gejaagd. Ze reed terug naar het andere eind van de bak om hem weer rustig te krijgen. De tweede keer dat ze op een sprong afstuurde, ging het al wat beter.

Ze herhaalde de oefening een paar keer. Eerst liet ze Bright Magic ontspannen, toen maakte ze een sprongetje en daarna kalmeerde ze hem weer. Net zo lang tot hij rustig op de hindernis af liep en er soepel overheen ging. Ze reed naar het hek en liet zich uit het zadel glijden.

Ashley keek haar verwonderd aan. „Hoe deed je dat? Hij loopt onwijs goed voor jou. Waarom doet-ie dat dan niet bij mij?"

„Ik denk dat-ie steeds te hard op de hindernissen af racete omdat hij zo gespannen was. Als een paard angstig is en onder druk wordt gezet, kan hij zenuwachtig worden en het vertrouwen in zijn ruiter verliezen. Hij stormt dan op de sprong af om die maar zo snel mogelijk achter de rug te hebben. Op de een of andere manier werd hij bang van de manier waarop jij rijdt. Dus nu moeten we uitzoeken waarom."

Ashley staarde naar de teugels die Amy naar haar uitstak en pakte ze met tegenzin aan. Met een bleek gezicht klom ze in het zadel.

„Denk vandaag nog maar niet aan springen," zei Amy. „Probeer hem maar gewoon ontspannen te laten lopen. En daarvoor moet je eerst zelf ontspannen."

Ashley slikte. „Oké."

Amy keek kritisch toe hoe ze over de hoefslag reed. Ze zag al snel wat het probleem was. Ashley kon heel goed rijden, maar haar rijstijl was totaal ongeschikt voor een paard als Bright Magic. Hoewel hij prima was afgericht, bewoog hij zich vrij en voorwaarts. De manier waarop Ashley reed, hinderde hem daarbij. Ze vertrouwde hem niet en dus gaf ze hem niet de kans de spieren in zijn hals te ontspannen en had ze altijd haar zweep klaar om hem te straffen. Ze zat er nog maar net op, maar Amy zag nu al aan Bright Magics lijf dat hij gespannen raakte.

„Geef me je zweepje," riep Amy. „En laat de teugels langer."

„Maar ik heb dat zweepje nodig!" protesteerde Ashley. „Anders kan ik hem niet aan."

„Heus wel," suste Amy. Ze rende naar haar toe en pakte het zweepje aan. „Je moet hem wat meer vrijheid geven om zich te ontspannen."

Met tegenzin deed Ashley wat Amy zei. Bright Magic

voelde aan hoe angstig ze was en het duurde een stuk langer dan bij Amy voor hij reageerde. Maar Ashley gaf hem uiteindelijk de vrijheid om voorwaarts te gaan en langzaam werd hij rustiger en liet hij zijn hoofd zakken. Zijn passen werden ruimer en hij strekte opgelucht zijn hals.

Na twintig minuten herkende je paard en ruiter niet meer terug. Bright Magic was blij en relaxed, en Ashley stuurde hem terug naar waar Amy stond. Met een brede grijns steeg ze af.

„Niet te geloven hoeveel beter hij nu loopt," zei ze glimmend. „En dat na één sessie."

„Tja, er is ook eigenlijk niks mis met hem," antwoordde Amy. „Je moet alleen je vertrouwen weer terugkrijgen en zorgen dat hij niet voelt dat je gespannen bent. Het belangrijkste is dat je het langzaamaan doet. In je eigen tempo en dat van hem..." Ze keek Ashley recht aan. Wat je moeder er ook van zegt, wilde ze er eigenlijk nog aan toevoegen.

Hoofdstuk 8

Heel even kwam er een blik van angst en schrik in Ashley's ogen, maar ze trok snel haar gezicht weer in de plooi. Ze knikte enthousiast. „Ik kan deze week een paar keer met hem aan het werk. Mam heeft het heel druk. En daarna zal ik haar laten zien hoe goed hij voor me loopt. Ik weet zeker dat ze het verschil zal merken." Ze lachte stralend naar Amy.

Ondanks alles moest Amy grinniken. Stiekem was ze opgetogen dat het allemaal zo goed was gegaan. Ze hoopte maar dat Bright Magic de kans zou krijgen die hij verdiende.

„Laten we Bright Magic terugbrengen naar de stallen, dan gaan we iets drinken," zei Ashley.

„O... Ik weet niet," aarzelde Amy. „Ik moest maar weer eens terug naar Heartland."

„Je hebt toch nog wel even tijd voor ijsthee? Je móét dorst hebben. Ik in ieder geval wel."

Amy moest toegeven dat een koud drankje wel heel

aanlokkelijk klonk. Ze liep mee naar de stallen.

Onderweg zag ze een bekend figuur met een kruiwagen lopen. „Hé, Daniël!" riep ze.

Hij draaide zich om en Amy zwaaide. Met een grote grijns rende Daniël naar haar toe.

„Amy! Wat doe jij hier?" Hij leek stomverbaasd haar te zien, want hij wist dat ze niks van Green Briar en hun trainingsmethoden moest hebben.

Amy deed haar mond open om te antwoorden, maar Ashley keek haar waarschuwend aan. „O... Ik was in de buurt," zei ze achteloos.

„Hoe gaat het met Storm? Wanneer is je volgende wedstrijd?"

„Prima. Aanstaande zaterdag ga ik met hem naar Melton. Ga jij ook?"

Daniël haalde een beetje onbehaaglijk zijn schouders op.

„Daar heeft Daniël niks over te zeggen," zei Ashley. „Mijn moeder beslist wie van de stalhulpen meegaat naar wedstrijden."

Amy keek Daniël vol medeleven aan. Zijn hele leven was veranderd. Nog maar een paar weken geleden had hij zelf kunnen kiezen naar welke wedstrijd hij met zijn eigen paard zou gaan.

Ashley ving haar blik op. „Daniël heeft heel veel mazzel, Amy. Hij heeft hier bergen paarden om op te rijden."

Toch is dat niet hetzelfde, dacht Amy. En aan Daniëls gezicht zag ze, dat hij er precies zo over dacht. Maar ze zei niks.

„Dat realiseer ik me ook wel, Ashley," zei Daniël

beleefd. „Het is alleen niet hetzelfde als op Amber rijden, weet je."

Ashley begreep er duidelijk niks van. Ze gaf Bright Magic aan hem. „Wil je hem droogwrijven en op stal zetten?"

„Tuurlijk," zei Daniël, maar Amy kon wel zien dat hij zich vreselijk stond te ergeren. En zijzelf trouwens ook. Wat voor problemen Ashley ook mocht hebben, ze was er zo aan gewend haar zin te krijgen en mensen te vertellen wat ze moesten doen, dat ze geen idee had hoe anderen zich voelden. Ze trok een gezicht naar Daniël, draaide zich om en liep met Ashley mee naar binnen.

Ashley haalde snel twee glazen en pakte een kan met ijsthee uit de koelkast. „Wil je ijsblokjes en een schijfje citroen?"

Amy onderdrukte een grijns. „Zo is het prima, dank je."

Ze gingen aan de grote tafel in de woonkeuken zitten en Amy nam een slok van haar thee.

Ashley schoof haar stoel dichterbij. „Zo," zei ze op een vertrouwelijke toon. „Genoeg over die paarden. Nu kunnen we het over de echt belangrijke dingen hebben. Hoe gaat het met je grote liefde?"

Amy verslikte zich bijna in haar thee. „Sorry?"

„Kom op, Amy!" Ashley sperde haar grote, groene ogen wijd open. „Jij en Ty. Waarom doe je daar zo geheimzinnig over?"

Amy stond met haar mond vol tanden. Ze dacht koortsachtig na. „Ik doe niet geheimzinnig. Het is alleen een privé-zaak van mij en Ty," zei ze eerlijk.

Ashley keek haar onderzoekend aan. „Dus je wilt ook niks weten over mij en Matt?"

Amy haalde haar schouders op. „Dat gaat mij toch niks aan, Ashley." Maar ze bedacht toen dat dat ook niet echt eerlijk was. Ze had het toch ook niet erg gevonden om met Matt over Ashley te praten. Ze aarzelde even. „Ik heb Matt gister gezien," biechtte ze op.

„Echt?" riep Ashley uit. Ze pakte Amy's arm beet. „Hoe was het met hem?"

„Best." Amy geneerde zich een beetje. Ze had totaal geen zin om een soort bemiddelaar te zijn voor die twee, maar Ashley liet zich niet afschepen. „Zei hij nog iets over mij?" vroeg ze.

Dat kon Amy niet ontkennen. „Heel even," antwoordde ze vaag.

Ashley staarde Amy aan, haar gezicht opeens eerlijk en kwetsbaar. Ze leek even niet te weten wat ze moest zeggen. „Amy, ik weet wel dat je me niet wilt vertellen wat hij zei. Daar ben je te loyaal voor. Maar..." Ze beet op haar lip. „Ik weet wel dat het mijn schuld is dat we uit elkaar zijn. Ik doe zo vaak rot tegen hem. Het lijkt wel of ik er niks aan kan doen, het gebeurt gewoon."

Ze viel stil en Amy zag dat er tranen in haar ogen stonden. „Je denkt dat ik zo veel mazzel heb met alles wat ik hier heb," ging Ashley verder. „Maar ik kan er helemaal niet van genieten zonder Matt." Ze sloeg haar handen voor haar gezicht en zuchtte diep. „Ik mis hem zo ontzettend. Denk je dat er misschien nog een kans is dat hij terugkomt?"

Amy zocht naar woorden. Ze wist dat je niet moest doorvertellen wat iemand in vertrouwen tegen je had gezegd. „Eh... sorry, Ashley. Dat weet ik niet. Maar ik geloof heilig dat er voor iedereen een nieuw begin kan zijn, op de een of andere manier. En die is er ook voor jou, met of zonder Matt. Zo moet je het maar bekijken."

Ashley zuchtte en veegde een glanzende, blonde lok achter haar oor. „O, wat ben je weer wijs, Amy," zei ze. Maar ze zei het tegen zichzelf, berustend, alsof Amy er niet was.

Amy was een beetje geschokt. Ashley's stem klonk zo raar, zo moe en verbitterd, zo ontgoocheld. Ze besloot maar geen antwoord te geven. Ze dronk haar glas leeg en stond op. „Ik moet er echt vandoor."

„Hoe kom je nou thuis?"

„Ik weet niet. Met de bus, denk ik."

„Maar dat kan toch niet? Ik roep wel een van de stalhulpen om je te brengen."

Ashley en Amy liepen terug naar de stallen, waar Ashley een lange jongen van in de twintig wenkte.

„David!" Ze had zichzelf weer helemaal in de hand. „Breng Amy even terug naar Heartland, wil je?"

De volgende dag stond Amy extra vroeg op. Het begon net licht te worden. Door Boxers ontsnapping had ze een idee gekregen. Ze hadden nog niet op hem gereden, omdat zij en Ty hadden bedacht dat ze zo'n futloos paard beter aan de longe konden houden. Maar deze ochtend trok Amy haastig haar trui en spijkerbroek aan en ging ze zijn tuig halen. Het was een eenvoudig hoofdstelletje zonder neusriem en een westernzadel. Ze waren al oud, maar het leer was soepel en goed onderhouden. Ze nam alles mee naar de achterste stallen.

De kleine koudbloed stond in zijn box te doezelen. Net als de andere dagen had hij maar de helft van zijn hooi opgegeten en Amy zag verontrust dat zijn ribben nog verder uitstaken dan anders.

„Goeiemorgen, jochie," fluisterde ze en ze maakte de nieuwe grendel open die Ty op de deur had gezet. Ze deed hem snel zijn hoofdstel om en legde het zadel op zijn rug. „We gaan een eindje rijden."

Ze leidde hem naar buiten, het roze ochtendlicht in, en steeg op. Ze had nog niet zo veel in de westernstijl gereden, maar ze wist ongeveer hoe het moest en pakte de teugels in één hand. Het grootste verschil zat hem in het sturen. Westernpaarden leerden dat ze moesten wegdraaien van de kant waar de teugels tegen de hals werden geduwd. Hierdoor kon de ruiter met één hand sturen, waardoor hij één hand vrijhield voor een touw of een lasso.

Ze schoof wat in het vreemde zadel heen en weer tot ze lekker zat en dreef Boxer aan. Hij stapte keurig weg naar het pad langs de verste weilanden. Het was nog erg vroeg en dauwdruppels glinsterden in de ochtendzon. Amy wreef de laatste restjes slaap uit haar ogen en glimlachte. Wat was de wereld toch mooi om deze tijd.

Boxer stapte niet, hij slofte. Amy bedacht dat hij natuurlijk ook erg weinig had gegeten, dus dreef ze hem niet harder aan. Zo gingen ze rustig over het pad tot Boxer heel plotseling bleef staan. Zijn oortjes vlogen naar voren en hij brieste. Amy drukte zachtjes haar benen aan en hij stapte weer verder, nu een stuk vlotter.

Amy kon wel raden wat zijn aandacht had getrokken. Het was zoals ze al had gehoopt, Boxer had de koeien geroken. Ze gingen de laatste bocht door en daar stonden ze, dicht op elkaar, hun vachten dampend in de eerste warme zonnestralen. Ze reed naar het hek toe en Boxer brieste blij. De koeien staarden verbaasd terug. Boxer bleef braaf stilstaan, wachtend op aanwijzingen van Amy. Zijn oren waren gespitst en Amy voelde dat hij een beetje trilde.

Ze stuurde hem voorzichtig langs het hek, zodat Boxer de hele kudde kon zien. Hij stapte vrolijk door, zijn hals gestrekt naar de koeien. Daarna draaide ze om en reed er nog een keer langs, op weg terug naar de stallen. Amy voelde wel dat Boxer teleurgesteld was dat ze alweer gingen, maar haar plan had toch gewerkt. Zo'n ritje naar de koeien in de ochtend was voor hem iets heel vertrouwds en misschien zou het hem kunnen helpen bij het verwerken van zijn verdriet.

Tegen de tijd dat Amy klaar was met het verzorgen van Boxer, was het in de stallen al een drukte van belang. Ze hielp Ben het erf aan te vegen, bracht het merendeel van de paarden naar het land en begon met uitmesten. Toen ze met een volle kruiwagen naar de mesthoop liep, kwam Lou naar haar toe.

„Ruth Adams belde net, ik dacht dat je dat wel zou

willen weten," vertelde Lou. „Ze wil met je praten."

Amy werd opeens een beetje zenuwachtig. „Echt? Zei ze ook waarom?"

„Nee. Ze klonk nogal stijfjes. Ze vroeg of je haar zo gauw mogelijk wou terugbellen."

Amy knikte.

Wat zou ze willen? vroeg ze zich af. Ze kieperde de kruiwagen leeg en ging naar binnen. Ze trok haar modderige laarzen uit op de mat en belde Meadowbridge.

Ruth nam bijna meteen op.

„Hallo Ruth, met Amy van Heartland. U had gebeld?"

„Ah, hallo Amy," zei Ruth. Ze klonk afstandelijk, maar wel kalm. „Martha vertelde dat je hier langs bent geweest."

„Klopt." Tot haar verbazing voelde Amy hoe haar hart begon te bonken. „Ik kwam om met uw vader te praten."

„Ik zou graag willen weten waarom," zei Ruth.

Amy had wel door dat Ruth kwaad op haar was, dus koos ze haar woorden zorgvuldig. „Ik maak me ernstig zorgen over Boxer. Zoals u weet, gaat het helemaal niet goed met hem. Hij mist Hank echt vreselijk. Ik hoopte dat Hank me wat zou kunnen vertellen dat hem kan helpen. Iets waardoor hij zich hier makkelijker kan aanpassen. Het was niet mijn bedoeling om mijn neus in andermans zaken te steken of..."

„Hou je ooit wel eens rekening met mensen, Amy?" onderbrak Ruth haar bits. „Of kun je alleen maar aan die paarden van je denken?"

Amy hapte naar adem. Ze wist even niet wat ze moest zeggen. Ty's woorden schoten haar weer te binnen: „Je vindt die Ruth maar niks, hè?" Ze duwde die gedachte snel weg, ze had er toch niks aan. „Ik… ik weet niet wat u bedoelt," stamelde ze. „Het spijt me heel erg als u vond dat ik Hank lastigviel."

„Nou, misschien kun je voortaan wat beter nadenken voor je je neus in andermans zaken steekt. Ik heb Boxer in goed vertrouwen naar Heartland gestuurd, in de veronderstelling dat er goed voor hem gezorgd zou worden en dat jullie een passend nieuw huis voor hem zouden zoeken. Ik verwachtte niet dat jullie als een soort detectives in mijn privé-leven zouden gaan snuffelen, of in dat van mijn vader. Is dat duidelijk?"

Amy wist niet wat haar overkwam. Ze begon te koken van woede. „Iemand moet toch aan Boxers kant staan?" flapte ze eruit. „Ja, het is maar een paard. Maar paarden hebben ook gevoel. Wij maken ze afhankelijk en dat geeft ons ook de verantwoordelijkheid voor hun leven. Als een paard lijdt, is het mijn taak om uit te zoeken waarom. En meestal ligt de oorzaak bij mensen. Het zijn mensen die een band met ze opbouwen en ze op de een of andere manier niet goed begrijpen."

Ze moest stoppen om adem te halen, maar Ruth zei niks. Amy kon zich niet meer inhouden, de woorden kwamen als een waterval naar buiten. „En het is bovendien niet alleen Boxer die hieronder lijdt. Boxer betekende alles voor Hank, en jij houdt ze uit elkaar. Misschien denk je dat je vader niets meer aan Boxer heeft, maar ik denk juist van wel. Zijn herinneringen zijn misschien wat warrig, maar ze zijn wel echt. Hij leeft nog steeds in de tijd dat hij altijd bezig was om voor jou te zorgen. De dagen dat hij op Boxer vertrouwde om hem erdoorheen te slepen..."

Ze moest weer stoppen voor lucht en hoorde nog net een klein klikje aan de andere kant van de lijn. Ze staarde verbluft naar de telefoon.

„Ruth?" zei ze met een bibberstemmetje.

Maar Ruth was er niet meer. Amy legde langzaam de telefoon neer. Trillend liet ze zich op een stoel vallen. Ze kon wel door de grond zakken. Waarom had ze zich zo laten gaan? Ruth had gelijk, ze bemoeide zich met dingen die haar helemaal niet aangingen en bovendien had ze geen idee hoe alles werkelijk in elkaar zat. Ze moest meteen haar verontschuldigingen aanbieden. Ze pakte de telefoon weer en drukte op nummer herhalen.

In gesprek. Amy drukte weer op nummer herhalen, maar de lijn was nog steeds in gesprek. Gefrustreerd kwakte ze de telefoon op tafel en sloeg haar handen voor haar gezicht. Ze wachtte even en probeerde het toen opnieuw. Deze keer kreeg ze het antwoordapparaat. „Dit is Meadowbridge. Spreek een bericht in, dan wordt u teruggebeld. Dank u wel."

Amy haalde diep adem. „Ruth, met Amy. Ik wou graag zeggen dat ik nooit zo tekeer had mogen gaan. Dat was heel verkeerd van me. Het spijt me."

Lou kwam binnen lopen. „En? Hoe ging het?" vroeg ze opgewekt. „Wat wilde Ruth?" Ze zag Amy's gezicht en viel stil.

„Lou," zei Amy schor, „ik heb iets vreselijks gedaan."

Hoofdstuk 9

„Wat dan?" vroeg Lou bezorgd.

Amy schudde haar hoofd, ze wilde het er nu even niet over hebben. „Ik vertel het je straks wel," zei ze met een waterige glimlach en ze liep naar de deur.

„Amy..."

„Het is al goed, Lou. Ik moet er gewoon eerst over nadenken," probeerde Amy haar zus gerust te stellen. Ze glipte naar buiten, het erf op. Er was nu maar één persoon met wie ze wou praten, maar één persoon die het echt zou begrijpen. En dat was Ty.

Amy vond Ty in de trainingsring, waar hij Spring longeerde. Ze bleef staan kijken, gedachten maalden door haar hoofd. Ty ging helemaal op in zijn werk en zag pas na een tijdje dat ze er was. Hij glimlachte.

„Hoi," riep hij. „Heel even nog..."

„Rustig aan. Maak eerst de training maar af."

Ty liet Spring omkeren en de andere kant op draven.

Amy draaide ondertussen het telefoongesprek nog eens

af in haar hoofd. Was het echt zo fout geweest dat ze naar Meadowbridge was gegaan? Ze dacht eigenlijk van niet. Maar misschien was het beter geweest als ze het eerst met Ruth had overlegd... Ja, dat had ze zeker moeten doen... Maar toch was het niet verkeerd geweest wat ze had gedaan. Wat wel verkeerd was geweest, was wat ze tegen Ruth had gezegd. Daar kon ze niet omheen. Een klant uitkafferen, dat kon echt niet. Ze moest er niet aan denken wat Lou zou hebben gezegd als ze het had gehoord.

Ty liet Spring halthouden en bracht haar naar het hek. Zodra hij dichterbijkwam, zag hij dat er iets mis was. „Wat is er aan de hand?" vroeg hij zachtjes.

„Ty, kan ik even met je praten? Ergens waar het rustig is?"

Ty keek Amy verbaasd aan. „Ja, natuurlijk. Wat is er gebeurd?"

Amy zei niks meer tot ze samen in het voerhok zaten, achter een stapel zakken met biks. Daar kwam alles eruit over wat er was gebeurd. „Ik moet steeds denken aan wat je zei, over dat ik Ruth niet mocht," biechtte Amy op toen ze klaar was. „Je hebt misschien wel gelijk, en ik kon daardoor niet meer helder denken. En dat is zo fout! Hoe ik over iemand denk, mag toch niet uitmaken bij ons werk hier..."

Ty pakte haar handen en dacht diep na.

Amy wachtte gespannen af wat hij zou gaan zeggen.

„Volgens mij is Ruth heel ongelukkig. Ga maar na. Haar vader verdwijnt waar ze bij staat. En ze woont daar in haar eentje, dat is toch wel vreemd voor een vrouw van haar leeftijd. Ze heeft waarschijnlijk niet veel goeie vrienden en ook al had ze die wel, dan had ze daar nu toch geen tijd meer voor, nu Hank zo ziek is. Bovendien stort de boerderij langzaam in. Haar hele leven ligt overhoop, dus is het logisch dat ze vreemd reageert op dingen."

Amy was onder de indruk van de manier waarop Ty alles zo goed zag. Dat ze dat zelf niet had bedacht!

„En dan is er ook nog haar schuldgevoel," ging Ty verder. „Ze weet vast niet zeker of ze er wel goed aan heeft gedaan om Boxer hierheen te sturen. En zo zijn er waarschijnlijk nog een heleboel andere dingen waar ze over twijfelt. Er zijn zeker momenten dat ze van Hank baalt, omdat hij ziek is en ze voor hem moet zorgen. En daar voelt ze zich dan weer schuldig over, juist omdat hij altijd zo veel voor haar heeft gedaan. En daar baalt ze dan weer van en zo blijft het aan de gang."

Amy staarde hem met open mond aan. „Hoe weet je dat toch allemaal?"

Ty glimlachte. „Omdat ik al die dingen ook heb," zei hij eenvoudig.

Ze bleven even zwijgend naast elkaar zitten. „Wat ik hiermee wil zeggen," ging Ty verder, „is dat wat je tegen Ruth hebt gezegd of hebt gedaan, er eigenlijk helemaal niet toe doet. Haar problemen zijn veel, veel groter. Jij was gewoon op het verkeerde moment op de verkeerde plek. Als je hoofd zo vol problemen zit, haal je soms uit naar mensen. En jij schoot automatisch terug, dat kan ik je niet kwalijk nemen."

„Echt niet?"

„Nee, en ik zal je zeggen waarom niet. Volgens mij heb je nog nooit een hekel aan iemand gehad zonder daar een goeie reden voor te hebben. Je bent altijd heel rechtvaardig, Amy. Je probeert altijd de goeie kanten van mensen te zien. Maar ongelukkige mensen maken het je heel moeilijk om ze aardig te vinden, omdat ze zichzelf eigenlijk niet zo aardig vinden."

Amy knikte langzaam en legde haar hoofd op Ty's schouder. „Je hebt gelijk."

Zo bleven ze een tijd zitten, allebei diep in gedachten. Amy tilde haar hoofd op. „Nou ja, ik heb sorry gezegd op Ruths antwoordapparaat, meer kan ik niet doen. En ondertussen moeten we nog steeds iets bedenken voor Boxer. Ik rijd nu 's ochtends heel vroeg met hem naar de koeien, en volgens mij helpt het wel een beetje. Het zal nog een hele tijd duren, maar ik denk dat hij uiteindelijk wel zal wennen."

„Ik heb hem net op het land gezet. Hij zag er wel iets vrolijker uit en hij had ook meer van zijn hooi gegeten dan anders."

„Arme Boxer." Amy krabbelde overeind en klopte haar spijkerbroek af. „Was het leven maar niet zo ingewikkeld." Ze liep samen met Ty naar buiten, de zon in.

De volgende paar dagen was Amy druk bezig met alles wat er op Heartland moest gebeuren. Ze stond elke dag vroeg op om met Boxer naar de koeien te rijden, maar hij was niet het enige paard dat haar nodig had. Met Dylan moest ook elke dag worden gewerkt, Major moest elke dag beweging hebben, Spring moest worden gelongeerd... Er kwam geen einde aan. En dan was er natuurlijk ook Storm nog. Op zondag realiseerde ze zich opeens dat ze nog maar zes dagen had tot de wedstrijd in Melton. Ze was doodop van al die korte nachten en eigenlijk wilde ze niks liever dan met Storm naar Clairdale Ridge rijden om onderweg over alle omgevallen bomen te springen. Als ze mazzel had, had ze aan het eind van de dag een kwartiertje over om met hem in de bak te rijden, maar dat was het dan ook.

„Alles goed?" vroeg Ty, toen ze geïrriteerd haar poetskist neerkwakte.

Amy aarzelde. Ty was zo fantastisch geweest over Boxer en Ruth, en nu ze een beetje wist hoe zwaar hij het thuis had, zou het wel erg egoïstisch en stom zijn als ze ging klagen over hoe weinig tijd ze voor Storm had.

„O, niks hoor. Ik ben alleen een beetje moe."

„Ja, geen wonder! Je staat elke dag onwijs vroeg op. Doe eens lekker iets voor jezelf. Waar ben je nu mee bezig?"

„Ik ging net Major poetsen. Hij moet beweging hebben, maar hij zit onder de modder."

„Ik doe hem wel. Ik ben toch al klaar met al mijn werk."

Amy keek Ty onzeker aan. „Echt?"

Ty grijnsde. „Zeker weten! Ga nou maar, voor ik me bedenk!"

Storm was al net zo blij als Amy om buiten te zijn. Opgewekt galoppeerden ze door de zon over de heuvels. Ze kwamen bij een stapeltje boomstammetjes en Storm vloog er vrolijk overheen. Amy lachte hardop toen hij speels bokte en liet hem er nog eens over springen voor ze verder gingen. Er was op Heartland bijna nooit tijd om op een paard als Storm te rijden, gewoon een gelukkig paard vol kracht en talent. Veel te weinig tijd. Toch moest ze er maar het beste van maken en goed bedenken hoeveel mazzel ze had. En dat was heus niet moeilijk.

Lekker uitgewaaid en tevreden stuurde Amy Storm terug naar huis en ze kwamen al snel weer bij Heartland aan. Toen ze het erf opkwamen, zag Amy een auto op de oprijlaan. Ze fronste haar voorhoofd. Van wie was die auto? Ze keek nog eens goed en haar hart begon te bonken. Nee toch, dat was de auto van Ruth!

Amy liet zich snel uit het zadel glijden, net op het moment dat Ruth uitstapte. Amy bleef naast Storm staan. Ze wist niet zo goed wat ze moest doen. „Hallo, Ruth," zei ze ongemakkelijk.

„Amy." Ruth stak haar hand uit en Amy schudde hem achterdochtig. Ruth leek niet echt kwaad, meer een beetje zenuwachtig. Ze schraapte haar keel. „Kan ik even met je praten?"

„Natuurlijk," zei Amy stilletjes. „Ik zet Storm even weg."

„Ik wacht wel in de auto."

„Ga alsjeblieft naar binnen in de boerderij, ik ben zo klaar."

„Ik wacht echt liever in de auto."

Amy bracht Storm naar stal en zadelde hem met trillende handen af. Wat stond haar te wachten? Wat Ruth ook kwam zeggen, het kon nooit leuk zijn.

„Kom binnen." Amy hield beleefd de keukendeur open en Ruth stapte naar binnen. Ze bleef gespannen bij de keukentafel staan. „O, ga zitten. Wil je iets drinken?"

„Eh... nee, dank je." Ruth ging zitten.

„Oké." Amy pakte zelf ook een stoel.

Er viel een ongemakkelijke stilte, waarna ze allebei tegelijk begonnen te praten.

„Ik hoop dat mijn verontschuldigingen..." begon Amy.

„Ik kwam om te zeggen..."zei Ruth.

Ze stopten en lachten zenuwachtig.

„Ik hoop dat mijn excuses worden aanvaard," perste Amy eruit. „Ik had nooit zo mogen uitvallen."

„Ja... Ik... ik wilde zelf eigenlijk ook mijn excuses aanbieden. Daarom ben ik hier."

Amy slikte en keek Ruth verrast aan. Dat had ze echt nooit verwacht!

„Het kwam door iets wat je zei," legde Ruth uit. „Ik moest er steeds aan denken. Iets van... dat mijn vader misschien wat warrig is, maar dat zijn herinneringen wel echt zijn. Daar ging het om. Dat zijn herinneringen echt zijn. Daar zei je iets heel belangrijks."

Amy keek haar gespannen aan. Wat bedoelde Ruth daarmee?

„Ik heb alles heel stom aangepakt," ging Ruth verder. „Het is me ook allemaal te veel en ik zag gewoon niet..." Haar stem stokte. Ze haalde diep adem om weer kalm te worden, maar het lukte niet. Ze drukte haar vingers op haar ogen en er rolden twee tranen over haar wangen. Ze liet haar handen weer zakken en keek Amy recht aan, haar ogen nog nat van de tranen.

„Je zult wel niet veel weten over de ziekte van Alzheimer." Er klonk geen beschuldiging in haar stem, ze vertelde gewoon een feit.

„Niet veel," gaf Amy toe.

„Alzheimer is in het begin bijna niet te herkennen. Iemand wordt gewoon een beetje vergeetachtig. Maar dan, als het erger wordt, merkt diegene dat er iets mis is in zijn hoofd. Het is heel angstaanjagend."

„Ik begrijp het," zei Amy. „Het moet verschrikkelijk zijn."

„Dat is het ook. En wat nog erger is, in die fase gaat de ziekte gepaard met allerlei soorten stemmingswisselingen. Iedereen reageert anders op de ziekte, heb ik me laten vertellen, maar mijn vaders reactie komt vaak voor. Hij was heel trots en hij weigerde in te zien dat er iets aan de hand was. Er verdwenen dingen in huis en daar werd hij dan woedend om. Hij gaf mij de schuld, zei dat ik dingen expres verstopte. Soms trok hij twee overhemden aan, over elkaar, en dan ontplofte hij als ik er iets van zei. Dat soort dingen..."

Amy dacht terug aan hoe mild en vriendelijk Hank had geleken en ze keek Ruth verbaasd aan. Ruth zag haar uitdrukking. „Ik weet wel wat je nu denkt. Je kan je niet voorstellen dat Hank zich zo zou gedragen. Nou, echt wel, dus. Hij kon er natuurlijk niks aan doen, maar ík kon er ook niks aan doen en ik moest het wel oplossen... in mijn eentje." Haar stem stokte weer.

„Was er dan niemand die je kon helpen?" vroeg Amy. „En Martha dan?"

Tranen van frustratie en woede rolden over Ruths gezicht. „Begrijp je het dan niet?" fluisterde ze kwaad.

Amy's mond was droog. Ze snapte het inderdaad niet, dus schudde ze haar hoofd. „Wat begrijpen?"

Ruth veegde weer haar tranen weg en begon te vertellen over het verleden. „Ze waren heel verschillend, mijn ouders. Mijn moeder was gek van boeken, maar mijn vader leefde alleen voor de boerderij. Ik was enig kind en mijn moeder hield zielsveel van me. Ze moedigde me aan om net zo te zijn als zij en ik heb nooit echt van het boerenwerk gehouden. Toen ik zeventien was, ging mijn moeder dood. Mijn vader was vastbesloten me alles te geven wat ik wilde. Het ging niet goed met de boerderij, maar hij wilde per se dat ik mijn dromen waar zou maken, namelijk om naar de universiteit te gaan en lerares te worden. Toen ik ouder was, begreep ik hoe hard hij daarvoor moest werken, maar hij klaagde nooit. Hij ontsloeg alle andere werknemers en deed de paarden weg die we voor hen hadden. Hij en ik woonden in ons eentje op de boerderij. Hij leerde me om trots te zijn. We waren dan misschien niet rijk, maar we konden met opgeheven hoofd rondlopen omdat we hard werkten. Er kwamen niet veel mensen bij ons thuis langs, we waren altijd met z'n tweeën. De tijd ging voorbij en ik bleef thuis wonen. Ik kon mijn vader niet alleen laten, niet na alles wat hij voor me had gedaan. Dus ben ik nooit getrouwd of..." Haar stem stierf weg.

Amy voelde zo met haar mee. Wat konden mensen toch een rare en eenzame manier van leven hebben. Maar ze begon het te begrijpen. „Wilde je niet om hulp vragen toen je vader ziek werd?" vroeg ze aarzelend.

„Nee. Ik was vastbesloten om het zelf op te knappen. Ik wilde niet dat mensen mijn vader zo zouden zien..."

Amy knikte. „Maar uiteindelijk had je geen keus."

„Nee," fluisterde Ruth. „Alles ging fout. Ik kon de koeien niet meer verzorgen, dus moest ik iemand vragen ze te verkopen. Pap ging helemaal door het lint." Ruth rilde bij de herinnering. „Toen was alleen Boxer nog over, hem durfde ik niet te verkopen. Ik vond Martha, en alles werd langzaam beter of een beetje in ieder geval. Mijn vader werd steeds slechter en daardoor ook minder agressief. Hij had niet meer door wat er met hem gebeurde, snap je? Ik dacht dat hij alles was vergeten en nergens meer om gaf... Niet om Boxer. Zelfs niet om mij. En ik dacht dat het misschien wel kon... Boxer wegdoen."

Ruth ging steeds zachter praten, zodat Amy haar bijna niet meer verstond. Ze sloeg haar handen voor haar gezicht en begon te snikken.

Amy kreeg een brok in haar keel en ze boog zich naar voren om haar hand op Ruths arm te leggen.

„Dus heb ik Boxer hierheen gestuurd," besloot Ruth. Ze tilde haar hoofd op, een gekwelde blik in haar betraande ogen. „Het was zo duur om hem te houden en ik dacht dat het toch niet uit zou maken, na alles wat er was gebeurd. Zeker niet voor Boxer. Hij is maar een paard en..."

Amy hield Ruths arm vast en keek haar vol medeleven aan. Had ze dit alles maar eerder geweten! „Maak je geen zorgen," zei ze. „Boxer is in goeie handen. Hij is heel verdrietig, maar we vinden wel een manier om hem te helpen."

Ruth haalde diep adem en Amy pakte een tissue voor haar. Ze snoot haar neus. „Ik geloofde er eigenlijk niks van toen je zei dat Boxer problemen had. Ik dacht altijd dat paarden net zo zijn als koeien, gewoon gebruiksdieren. Ik nam mijn vader helemaal niet serieus als hij het had over hoe hij en Boxer het samen wel zouden redden. Ik dacht dat het gewoon een grapje van hem was, zijn manier om te zeggen dat het best ging, in z'n eentje. Maar de laatste tijd denk ik toch..." Ze staarde even uit het raam en draaide zich weer naar Amy. „Mijn vader wordt steeds slechter. Ik ben zo bang dat ik hem kwijt ga raken. Het was even een opluchting dat hij in de volgende fase van zijn ziekte kwam, maar nu realiseer ik me dat het betekent dat hij echt dement wordt. Hij begrijpt bijna niks meer, dus elke flard van begrip is nu heel belangrijk. Daarom raakte het me zo wat je zei over zijn herinneringen aan Boxer. Je hebt gelijk. Hij herinnert zich niet zo veel meer en hij raakt vaak in de war. Maar zijn herinneringen zijn wel echt. Echt genoeg om belangrijk te zijn. En... alleen die herinneringen zijn nog over. Het is alles wat ik nog heb."

Hoofdstuk 10

Amy en Ruth bleven een paar minuten zwijgend zitten. Amy dacht diep na. Ze voelde zich vreselijk over alle nare dingen die ze over Ruth had gedacht.

„Het spijt me," zei ze zachtjes. „Ik wou dat ik dat allemaal eerder had geweten."

„Het is niet jouw schuld. Hoe kon je het nou weten? Er zijn nog steeds dingen die ik niet eens over mezelf snap. Ik begrijp de band tussen Boxer en mijn vader niet. Hoe kan die nou zo sterk zijn? Boxer is maar een paard, maar ik... ik ben z'n dochter."

Opeens kreeg Amy een idee. Ze stond op en lachte. „Ga je mee naar hem toe?"

Ruth keek verbaasd op. „Naar wie?"

„Boxer, natuurlijk."

Amy ging Ruth voor naar de stallen en pakte een halster uit de zadelkamer. Daarna liepen ze naar het weiland. Ty kwam terug van de trainingsring. Amy wenkte hem. Hij was duidelijk stomverbaasd Ruth te zien, maar hield wijselijk zijn mond. „We gaan even een kijkje nemen bij Boxer," zei Amy tegen hem.

„Zal ik meegaan?"

Amy wist dat hij nieuwsgierig moest zijn en lachte. „Waarom niet?"

Boxer stond te grazen, een eindje apart van de andere. Hij at elke dag een beetje meer en hij begon er steeds beter uit te zien.

„Wacht maar, dan haal ik hem," zei Amy.

Ze klom over het hek en liep rustig naar Boxer toe, die opkeek en brieste. Hij begon haar langzaam te accepteren en liet nu gewillig toe dat ze hem het halster omdeed. Ze leidde hem naar het hek. „Hier is-ie."

Ruth keek onzeker naar het paard en aaide hem voorzichtig over zijn neus.

„Hier." Ty haalde een wortel uit zijn zak. „Geef hem dit maar."

Ruth gaf Boxer de wortel. Hij kauwde er traag op en strekte zijn neus gretig naar Ruth uit voor meer. Hij brieste zachtjes en snuffelde aan haar vingers.

Amy keek naar zijn heldere, vriendelijke ogen en zijn gespitste oortjes. „Ruth, hij herkent je. Aan je geur. Je ruikt voor hem precies zoals Hank."

Ruth keek een beetje verward om, maar het was wel duidelijk dat het haar raakte. „Echt? Hoe weet je dat?" stamelde ze.

„Omdat hij zo verder tegen niemand doet. Hij begint mij nu pas een beetje te vertrouwen, omdat ik elke ochtend met hem naar de koeien van de buurman rij. Maar jou vond hij gelijk aardig. Voor hem ben je bijzonder."

Ruth keek vol verwondering naar het paard en kriebelde hem over zijn hals.

Amy zag dat haar hand trilde.

Boxer brieste weer en wreef met zijn zachte snuit over Ruths arm.

Haar ogen sprongen vol tranen. „Ik heb nooit geweten dat ze mensen kunnen herkennen."

„Paarden zijn heel gevoelig," zei Ty vriendelijk. „Ze voelen verlies en verdriet, en ook vriendschap en liefde. Misschien niet op dezelfde manier als wij en ze kunnen het ook niet op dezelfde manier uitdrukken, maar we kunnen ze wel leren begrijpen. Daar gaat het hier op Heartland om."

Ruth knikte langzaam. „Ik begrijp het." Ze keek naar Amy. „Je hebt me iets heel bijzonders laten zien. En ik begrijp nu ook waarom je wilt dat Hank bij Boxer komt. En ik denk dat je gelijk hebt. Het is waarschijnlijk een goed idee, voor ons allebei."

Amy glimlachte. „Ik zou het heel fijn vinden als dat kon. Als je het zeker weet, tenminste."

Ruth lachte terug. „Heel zeker."

„Hoe kwam dat nou ineens, die verandering?" vroeg Ty toen Ruth weg was. Hij en Amy slenterden in het avondlicht naar het weiland om de paarden binnen te halen.

Amy legde uit wat Ruth haar had verteld. „Je had gelijk. Ruth heeft zo veel op haar bord en alle veranderingen zijn heel pijnlijk. Het is wel gek. Wat ik had gezegd heeft haar geholpen, ook al had ik het nooit mogen zeggen. Het hielp haar om te kunnen gaan met de ziekte van Hank."

Ty pakte haar hand vast. „En het was een goed idee van je om naar de boerderij te gaan. Dat hielp ook bij het verwerken. Als mensen zo opgaan in hun eigen narigheid, is het soms goed als iemand anders hen wakker schudt. Ruth zou eindeloos zijn blijven doormodderen, zonder hulp."

„En dat zou niemand hoeven doormaken."

Ze kwamen bij het weiland en bleven een paar minuten staan kijken naar de paarden in de zonsondergang. Boxer stond op rust, maar toch leek hij niet meer zo treurig als eerst.

Ty leunde op het hek. „Amy, er is nog iets..."

„Wat?" vroeg Amy zacht.

„Ik zorg al veel te lang helemaal alleen voor mijn familie. Ik... ik wil er graag met iemand over praten. Ik ben al jaren bezig mijn moeder te beschermen, maar ik weet niet eens meer waartegen ik haar bescherm. En ik zie nu dat dat verkeerd is. Als ze me accepteert zoals ik ben, wordt ze daar misschien alleen maar sterker door. En daarvoor moet ik haar precies laten zien hoe ik leef, wat ik belangrijk vind en... en jou."

Amy keek verrast naar hem op.

„Ik wil graag dat je m'n ouders en broer ontmoet," zei Ty. „Als je dat nog wilt, natuurlijk."

Amy kneep in zijn hand. „Heel graag."

Ruth belde later om te regelen dat ze die zondag, de dag

na de wedstrijd, met Hank zou langskomen.

Die week deed Amy haar uiterste best om Storm goed voor te bereiden. Het was wel vermoeiend, omdat ze ook elke morgen met Boxer naar de koeien ging. Maar op een ochtend zag ze verrukt dat hij al met zijn hoofd over de staldeur op haar stond te wachten. Hij begon weer een doel in het leven te krijgen. En Storm liep prima. Amy werkte aan zijn balans en soepelheid, om zijn snelheid in het parcours te verbeteren. Om deze keer eerste te worden, zouden ze de barrage nog sneller moeten rijden dan de vorige keer.

De woensdag voor de wedstrijd bedacht Amy zich opeens dat ze niks meer van Ashley had gehoord. Dat was wel raar. Amy vroeg zich af hoe het met Bright Magic ging en besloot haar te bellen. Vlak voor ze met z'n allen aan tafel gingen voor de gebruikelijke woensdagavondmaaltijd pakte ze de telefoon. Ze baalde vreselijk toen Val Grant opnam.

„Mag ik Ashley misschien spreken?"

„Is dit Amy Fleming?" snauwde Val.

„Inderdaad."

„En wat moet je van mijn dochter?"

„Eh… zoals ik al zei, wil ik haar graag spreken."

„Ze is er niet."

„Kunt u haar vertellen dat ik heb gebeld?"

„Doe ik." Val verbrak de verbinding.

„Ik begrijp er echt geen snars van," zei Amy tegen Soraya. Het was zaterdag en ze waren op weg naar de wedstrijd.

Ashley had Amy niet teruggebeld. „Ze kon me toch wel even laten weten hoe het ging?"

Soraya zuchtte geïrriteerd. „Amy, je hebt het wel over Ashley Grant, hoor. Dat is nou niet de meest attente persoon op aarde, dat weet je toch?"

„Jawel. Maar ik dacht dat ze begon in te zien dat ze stom bezig was... Ze is niet zo erg als ze lijkt, hoor."

Soraya schudde lachend haar hoofd. „Je lijkt Matt wel." Ze keek naar Ben. „Wat moeten we toch met Amy beginnen? Ze is onverbeterlijk!"

Ben grijnsde. Hij zat achter het stuur van de paardenwagen, met Soraya en Amy naast hem.

„Nou, ik hoop maar dat Bright Magic beter is gaan lopen," zei Amy. En dat meende ze ook. Ze dacht aan het rotleven van Ashley en hoopte echt dat het goed met haar zou gaan.

Ze kwamen op het wedstrijdterrein aan en Ben en de meiden haalden Red en Storm uit de wagen. Daarna gingen ze naar de inschrijftent om de startnummers op te halen. Amy moest al vrij vroeg, dus ging ze snel terug naar de wagen om Storm op te zadelen en los te rijden.

„Amy, nog maar drie en dan moet jij," riep Soraya.

Amy ging net met Storm over een rijtje kleine oefensprongen. „Bedankt." Amy lachte naar haar vriendin. „Ik heb het gevoel dat het wel eens heel goed zou kunnen gaan."

„Ik hoop het! Je hebt het wel verdiend!"

Soepel en krachtig galoppeerde Storm de ring in. Amy

had het gevoel alsof ze zweefde. Hindernis na hindernis namen ze foutloos, hun bochten vloeiend en netjes. Het was wel te zien dat Amy er heel hard aan had gewerkt. Onder luid applaus reed ze de ring uit. Ze zat ook deze keer weer in de barrage.

Soraya kwam naar haar toe rennen. „Wauw! Dat ging fantastisch. Als de tweede ronde ook zo gaat, maak je zeker een kans."

Amy steeg af en klopte Storm op zijn hals. „Laten we nou niet te vroeg juichen, hè jongen? Er moeten er nog een hoop."

Ze bracht de schimmel terug naar de wagen en liep in de richting van Ben en Soraya, die bij de ring stonden. Soraya stond opgewonden naar haar te wenken en Amy liep snel naar haar toe.

Ze perste zich naast Soraya aan het hek. „Wat is er?"

„Moet je kijken," zei Soraya grijnzend. „Daar is je grote vriendin. Schiet mij maar lek."

En inderdaad, daar kwam Ashley de ring in rijden op Bright Magic. Amy's mond viel open. Nu alweer bij een wedstrijd? Die Ashley was toch niet te geloven!

De bel klonk en ze gingen van start. Amy keek geconcentreerd toe. Ashley had wat Amy haar had gezegd blijkbaar goed in haar oren geknoopt, want Bright Magic ging kalm en ontspannen over het parcours. Ashley had de teugels lichtjes vast en het paard liep vloeiend en in balans. Hij galoppeerde met zijn oortjes naar voren rustig op de hindernissen af, niet meer in zo'n wilde sprint als daarvoor.

Amy was onder de indruk. Deze verandering kon nooit het resultaat zijn geweest van die ene keer dat zij met Bright Magic had gewerkt. Ashley moest zelf zijn doorgegaan met oefenen. Amy had altijd al geweten dat Ashley veel talent had, maar nu zag ze dat ze ook heel snel leerde en dat ze zich goed kon aanpassen aan nieuwe manieren van denken.

Ze vlogen foutloos over de laatste hindernis en Amy klapte enthousiast met de anderen mee.

Ben was ook onder de indruk. „Je hebt goed werk geleverd, Amy. Ik weet niet wat je Ashley hebt geleerd, maar hij gaat nu als een trein. Je herkent die twee gewoon niet meer terug."

Amy lachte. „Ik vind het echt te gek." Wat ze ook van Ashley dacht, ze was blij voor haar. „Bright Magic ziet er nu zoveel gelukkiger uit. Ik ga Ashley opzoeken om te zeggen hoe goed ik het vond gaan."

Soraya keek haar aan of ze gek was geworden. „Amy, jij denkt misschien dat Ashley haar leven heeft gebeterd, maar als ze ook maar een greintje fatsoen had, zou ze je allang hebben gebeld. Of net zelf naar je toe zijn gekomen. Waarom wacht je daar niet op?"

Amy aarzelde. Soraya had meestal gelijk als het over dit soort dingen ging. Maar ze had niet gezien hoe bang Ashley was geweest of gehoord wat ze over Matt zei. Ze moest Ashley een kans geven. „Misschien weet ze niet zo goed wat ze moet zeggen."

Soraya haalde haar schouders op. „Nou, ik wens je succes."

Amy vond Ashley bij de uitgang van de ring. Ze stond met haar moeder te kijken hoe Daniël de beugels van Bright Magic opstak en zijn singel een gaatje losser deed.

„Hoi, Ashley," zei ze met een glimlach.

„O, hoi." Ashley keek haar koel aan en Amy's gezicht betrok.

„Ik wou even zeggen dat je fantastisch hebt gesprongen," zei Amy een beetje stijfjes. Waar was die vriendelijke Ashley van eerst gebleven?

Ashley lachte haar nietszeggende fotomodellenlach. „Net zo goed als jij, Amy?"

Amy staarde haar aan. Ze wist niet hoe ze moest reageren. Wat probeerde Ashley haar te zeggen? Maar ze had geen tijd om daarachter te komen, want Val Grant bemoeide zich ermee.

„Wij weten tenminste hoe we winnaars moeten trainen op Green Briar," zei ze vol medelijden. „Op Heartland lukt jullie dat natuurlijk niet, hè? Jij hebt nu toevallig geluk met je paard en dat kan nooit lang duren. Maak je dus maar geen illusies, anders wordt het zo'n teleurstelling voor je."

Amy hapte naar adem.

„Wacht maar op de barrage," ging Val verder. „Dan zal het verschil tussen Bright Magic en jouw paard wel duidelijk worden."

Amy keek snel naar Ashley. Die zou het toch niet over haar kant laten gaan, dat haar moeder zo bot stond te doen? Zeker niet na alles wat Amy had gedaan om Bright Magic te helpen! Maar Ashley wilde blijkbaar geen risico's nemen met haar moeder in de buurt. Ze ontweek Amy's blik en staarde naar de grond, terwijl ze met haar zweepje tegen haar dure, handgemaakte leren rijlaarzen tikte.

Amy keek haar en Val woedend aan en zag dat Daniël ook zijn oren niet geloofde. Maar het had natuurlijk geen zin om er iets van te zeggen. Daar zou Val Grant zich toch niks van aantrekken. Dus deed ze het enige dat ze kon doen: ze draaide zich op haar hakken om en liep terug naar Ben en Soraya.

„Wat me nou gebeurde! Dat geloof je nooit!"

Soraya keek naar haar kwade gezicht. „Ik denk dat ik het al weet."

Hoofdstuk 11

„Na alles wat ik voor haar heb gedaan en alles wat ze me heeft verteld! Het leek alsof ze echt begreep wat ik over Bright Magic zei. En dat ze het eens was met mijn methodes. Hoe kon ze nou net doen of er niks was gebeurd?"

„Rustig maar, Amy," zei Soraya. „Ze is het echt niet waard." Amy was na vijf minuten nog steeds woest over hoe Ashley zich had gedragen. „Ben moet over een kwartiertje z'n eerste ronde rijden en daarna moet jij je concentreren op de barrage. Laat je die stomme Ashley je dag verpesten?"

Amy stampte gefrustreerd op de grond. „Grrr! Je zou haar toch?"

„Laat nou maar," zei Soraya. „Het is natuurlijk logisch dat je een paard wilt helpen dat in de problemen zit, maar als dat paard toevallig een vreselijke eigenaar heeft, kun je er toch niks meer aan doen."

Amy zuchtte. „Het zal wel. Goed, ik ga Storm van de wagen halen. Sorry Ben, maar ik heb geen tijd om naar jouw ronde te kijken, ik moet dan al losrijden."

„Geeft niet, hoor. Ik heb Soraya om voor me te duimen," zei Ben met een grote glimlach naar Soraya. Die grijnsde terug, haar wangen een beetje rood, dus liet Amy ze maar alleen.

Ze reed met Storm naar de losrijbaan. Bij het hek gekomen zonk het hart haar in de schoenen. Ashley reed al met Bright Magic in het rond, terwijl Val Grant instructies stond te blèren. Amy wilde er eigenlijk niks van weten, maar ze kon het toch niet laten om even te kijken. Ashley had nog steeds een redelijk lange teugel om Bright Magic vrij te kunnen laten bewegen, maar Vals geschreeuw maakte haar toch een beetje zenuwachtig. Ze had haar zweepje in haar rechterhand geklemd en bij het aanrijden op een van de oefenhindernisjes gaf ze Bright Magic een tikje achter haar been. Het ging niet hard en Bright Magic draaide alleen even met zijn oren. Hij sprong vloeiend over de balken.

„Wat dacht je dat je in je hand had?" brulde Val Grant. „Een strootje? Wees nou eens duidelijk tegen dat paard, Ashley. Met kietelen bereik je niks."

Amy schudde haar hoofd en richtte zich weer op Storm. Ze was wel nieuwsgierig of Ashley de druk aankon voor de barrage. Maar nu moest ze zich op haar eigen ronde concentreren.

Negen combinaties hadden de barrage gehaald en Amy moest als derde. De eerste ruiter was foutloos gebleven, maar had wel een langzame tijd gezet door geen risico's te nemen. Amy wist zeker dat ze het beter zou kunnen. Dan moest ze wel afsnijden tussen de derde en vierde hindernis, door een hele scherpe draai te maken voor een oxer langs die niet meer gesprongen hoefde te worden. Daarna zou ze de vierde hindernis, een stijlsprong, onder een hoek moeten nemen. Terwijl de tweede ruiter bezig was, bestudeerde Amy het parcours zorgvuldig. Nog niemand was op het idee gekomen om het parcours af te snijden. Als zij het wel zou doen, zouden anderen dat ook gaan doen, als ze dat durfden natuurlijk. Maar niet veel paarden waren zo soepel en wendbaar als Storm.

De tweede combinatie had vier strafpunten en toen was Amy aan de beurt. Storm trok aan de teugels, zo graag wilde hij de ring in. De bel ging en ze vertrokken. Hij was zo opgewonden dat hij te vroeg afzette bij de eerste hindernis en de bovenste balk licht aanraakte. Amy baalde vreselijk, maar toen ze achterom keek, slaakte ze een zucht van verlichting. De balk lag er nog op.

„Kom op, jongen!" mompelde ze. „Dat kan niet, dat soort foutjes." Ze verzamelde hem voor de tweede sprong en hij luisterde braaf. Ze vlogen deze keer zonder problemen over de hindernis en Amy stuurde hem naar de derde. Ze wist dat ze Storm een beetje naar rechts moest laten neerkomen om daarna scherp te kunnen draaien. Ze boog hem zorgvuldig om en het publiek slaakte een kreet toen hij soepel op zijn achterhand draaide en voor de oxer langs schoot. Amy was opgetogen. Het was ze gelukt! Nu moesten ze zich goed blijven concentreren en foutloos blijven over de dubbelsprong, de muur en de laatste oxer.

Het publiek begon te klappen en te juichen, en Amy wist dat ze de snelste tijd hadden neergezet. De anderen zouden het nu heel moeilijk krijgen om haar te verslaan.

„Wauw, Amy! Fantastisch!" Ben en Soraya kwamen op haar afgerend. „Daar komt niemand onder!"

Amy lachte uitgelaten. „Denk je het echt? Dat komt doordat ik die kortere route nam. Ik had besloten het erop te wagen."

„Ik denk niet dat veel mensen het je na zullen doen," zei Ben. „Het is echt een superscherpe draai."

„Maar ze zullen het toch moeten proberen als ze willen winnen," merkte Soraya op. „Anders halen ze die tijd nooit."

Amy liet zich uit het zadel glijden en sloeg haar armen om Storms hals. „Je bent een ster, Storm." Ze dacht weer aan wat Val Grant over Heartland had gezegd. Ze baalde er nog steeds een beetje van. „Wat er ook gebeurt."

Opeens schoot haar iets te binnen. „Hoe ging het eigenlijk met jou, Ben?"

Hij trok een vies gezicht. „Drie strafpunten. Het was mijn eigen schuld. Ik reed helemaal verkeerd op de derde sprong aan. Red moest wel weigeren, anders was hij er dwars doorheen gegaan."

„O, balen," vond Amy.

„Nou ja, volgende keer beter," zei Ben. „Bovendien maakt jouw fantastische ronde alles weer goed, toch?"

Omdat er maar zo weinig ruiters door waren naar de barrage, zaten er maar twee combinaties tussen Storm en

Bright Magic. Amy bracht Storm snel terug naar de wagen en rende weer naar de ring. Ze was net op tijd. Ashley was de ring binnengekomen en reed voltes tot de bel ging. Geen van de twee vorige ruiters had Amy's tijd gehaald, dus ze stond nog steeds eerste.

De bel ging en Ashley dreef Bright Magic aan. Amy leunde gespannen naar voren over het hek. Ze realiseerde zich opeens dat ze heel graag wilde winnen. Het ging op Heartland nooit om wie er won, maar soms verlangde ze opeens naar een leven als wedstrijdruiter. Naar de spanning en sensatie van alles geven om te winnen. En bovendien was er niets dat Amy liever wilde dan Val Grant een poepje te laten ruiken.

Net als in de eerste ronde liep Bright Magic geweldig. Amy vroeg zich af of Ashley ook voor de kortere route zou kiezen en bedacht dat Val waarschijnlijk vreselijk boos op haar zou worden als ze het niet deed. Met een vastberaden blik in haar ogen reed Ashley op de derde hindernis af. Amy hield haar adem in. Ze kwamen foutloos neer, maar Amy zag dat Ashley niet ver genoeg naar rechts had gestuurd. De draai zou moeilijk worden. Ashley trok Bright Magic zo snel en scherp mogelijk de bocht om en hij liet zich opzij vallen. Ze kwamen te dicht langs de oxer die niet meer werd gebruikt en hij moest met alle kracht afzetten om er omheen te komen. Het lukte en er ging een zucht van opluchting door het publiek. Bright Magic galoppeerde door naar de vierde hindernis. Hij krabbelde er overheen, maar door de krappe draai was hij wel uit zijn evenwicht geraakt. Hij aarzelde en schudde zijn hoofd toen ze op de vijfde hindernis afgingen. Ashley was zo geconcentreerd aan het rijden, dat ze hem in een reflex een flinke tik gaf met haar zweepje.

Het was alsof iemand een pistool had afgeschoten. Bright Magic schoot naar voren en stormde op de dubbelsprong af. Hij sprong te vlak en raakte de balk. Vier strafpunten! Het was ze niet gelukt. Amy blies heel langzaam weer uit. Er waren nog drie ruiters te gaan. Dus ze zou ten minste vierde worden…

Het lukte verder niemand om die draai net zo goed te maken als Amy. De laatste twee ruiters probeerden het wel, maar de ene raakte de derde hindernis en de andere was gewoon niet snel genoeg.

Soraya vloog Amy om de hals en ze sprongen opgewonden op en neer.

„Jullie zijn gestoord," lachte Ben toen ze samen als gekken terughuppelden naar de paardenwagen.

„Kan me niet schelen!" riep Amy. Ze zwierde met Soraya in het rond. „We hebben een oranje rozet voor Heartland!"

Iedereen was zondagochtend in een goed humeur door Amy's succes. Ze zaten allemaal aan de keukentafel te ontbijten en Ben vertelde in geuren en kleuren over Amy's wedstrijd.

Amy lachte trots en opeens bedacht ze iets. „Hoe laat is het in Australië?"

„Hoezo?" vroeg Ty.

Maar Amy zag dat Lou haar meteen begreep. Ze wilde

haar vader bellen om te vertellen hoe goed Storm het had gedaan. Lou keek een beetje treurig en Amy realiseerde zich opeens hoe fantastisch het van Lou was dat ze blij voor haar was en dat dat nooit makkelijk voor haar kon zijn. Als Amy Tim zou bellen, zou dat het alleen maar moeilijker voor haar maken.

„O, laat maar," zei ze snel. „Mag ik nog wat koffie, Ben?"

Lou lachte naar haar en Amy lachte terug.

Ty nam nog een slok sinaasappelsap. „Wanneer komen Ruth en Hank langs, Amy?"

„Vanmiddag. Ik zorg wel dat ik in de buurt ben als ze komen."

Amy hoorde Ruths auto aankomen vanuit de box van Sundance, die ze net een nieuwe peesbandage omdeed. Ze keek over de staldeur naar buiten en zag dat Ruth al om de auto heen liep om Hank eruit te helpen. Ze maakte snel de bandage af en ging naar hen toe.

Wat dichterbij gekomen zag ze de verwarde uitdrukking op Hanks gezicht.

Hij keek ongemakkelijk rond naar de stallen. „Sandy is weer kreupel," zei hij tegen Ruth. „Billy kan niet op hem rijden als hij kreupel is, dat heb ik je toch gezegd."

„Maak je maar geen zorgen over Sandy," suste Ruth, alsof het heel logisch was wat hij zei. „Je bent hier nu voor Boxer." Ze keek op en lachte naar Amy. „Hallo, hier zijn we dan."

„Leuk om jullie weer te zien," zei Amy warm. „Hallo

Hank, ik ben Amy."

Hank keek Amy nietszeggend aan, alsof hij haar nog nooit eerder had gezien. „Boxer is toch niet kreupel? Ik weet niet wat ik zou moeten als Boxer kreupel wordt. Het is allemaal niet makkelijk, weet je..."

„Nee hoor, Boxer is niet kreupel. Hij vindt het vast heel leuk om je weer te zien."

Langzaam liepen ze met z'n drieën naar de achterste stallen. Hank begon weer over Sandy die kreupel was en Amy kreeg steeds meer bewondering voor hoe geduldig Ruth was. Ze zei hem niet dat hij onzin zat te vertellen, maar gaf overal antwoord op zodat het leek alsof het een heel normaal gesprek was.

„Sandy is een van de paarden die pap jaren geleden heeft verkocht, toen we de rest van de werknemers moesten ontslaan," legde Ruth fluisterend aan Amy uit. „Hij heeft geen idee meer van wat wanneer is gebeurd."

Amy moest even slikken. Ze zag nu in hoe moeilijk het moest zijn om te begrijpen wat Hank allemaal bedoelde.

Ze kwamen bij de stal en Amy ging ze voor naar de box van Boxer. „Boxer! Er is hier iemand voor je."

De kleine koudbloed stak zijn hoofd over de deur. Hij kreeg Hank in het oog en hinnikte blij. De oude man kreeg een grote grijns op zijn gezicht.

„Daar is mijn jongen!" riep hij en hij kriebelde over Boxers hals. Boxer snuffelde aan zijn mouw en drukte briesend zijn neus tegen zijn borst.

Amy keek opzij naar Ruth. Ze zag dat haar lip trilde en dat ze haar best moest doen om niet te gaan huilen. Amy legde haar hand op haar arm. Ruth glimlachte door haar tranen heen.

Amy maakte de staldeur open zodat Hank de box in kon om dichter bij zijn oude vriend te zijn. Hank liet gelijk zijn handen over Boxers benen glijden om te kijken of hij ergens wondjes of bulten had. Daarna ging hij weer rechtop staan en gaf het paard een klopje. „Waarom zei je nou dat hij kreupel was? Hij is helemaal niet kreupel. Er is niks aan de hand met zijn benen, hè jongen?"

„Nee, hij is niet kreupel," zei Ruth. „Je had gelijk, pap."

Hank keerde zich weer naar Boxer en begon tegen hem te praten. „Ze zeiden dat je kreupel was. Maar er is helemaal niks mis met je! Oké, laat me je tanden eens zien..."

Amy kreeg opeens een goed idee. „Wacht hier even," zei ze tegen Ruth. Ze rende naar de zadelkamer om een poetskist te pakken en zette die in de stal bij Hank. „Kijk eens, Hank. Ik denk dat Boxer wel een borstelbeurt kan gebruiken. Wil je dat doen?"

Zonder na te denken pakte Hank een zachte borstel en ging aan de slag. Hij maakte lange, stevige halen over Boxers vacht. Hij leek nu blij en verdiept in zijn werk en die verwarde uitdrukking was van zijn gezicht verdwenen.

„Amy, kan ik even met je praten?" vroeg Ruth zachtjes.

„Tuurlijk. Ik vraag Ty wel om op Hank te letten."

„We moeten even goed bedenken hoe we dit gaan aanpakken," zei Ruth. Ze was met Amy in de zadelkamer gaan zitten. „Ik zie nu wat een verschil het voor mijn vader maakt als hij hier kan komen. En voor Boxer ook.

En weet je, op de een of andere manier helpt het mij ook."

Amy keek haar vragend aan.

„Ik was mijn vader zo dankbaar voor alles wat hij voor me deed," ging Ruth verder. „Maar ergens voelde ik me ook ontzettend schuldig. Ik dacht altijd dat het vreselijk eenzaam voor hem moest zijn, dat hij de hele dag in zijn eentje op de boerderij moest werken. Maar nu begin ik te begrijpen dat hij nooit echt alleen was. Boxer was een betere vriend voor hem dan ik ooit voor mogelijk heb gehouden."

Amy glimlachte. „Ja. Paarden kunnen de meest trouwe vrienden zijn die je maar kunt hebben."

Ruth lachte terug en pakte Amy's hand. „Bedankt dat je me dat hebt geleerd." Ze keek om zich heen in de zadelkamer en haar blik bleef rusten op Boxers westernzadel. Ze zuchtte verdrietig. „Maar het zal niet lang zo blijven als het nu is. Mijn vader zal steeds verder dement worden en dan zal hij de hele dag verzorgd moeten worden. Hij vergeet vaak dingen, zoals douchen of schone kleren aantrekken. Ik weet niet zeker hoelang het nog goed voor hem zal zijn om hierheen te komen. Maar tot die tijd..."

„Houden we Boxer hier." Amy wist opeens zeker dat dat het beste voor iedereen was. „Zodat Hank net zo lang kan komen als jij denkt dat goed is." Ze lachte naar Ruth. „Boxer houdt heel veel van Hank. Als hij hem af en toe te zien krijgt, kan hij er makkelijker aan wennen dat Hank straks niet meer komt. En ondertussen zullen wij alles doen om hem te helpen zich aan te passen."

Ruth knikte stil. Een dikke traan rolde over haar wang.

„En jij ook," voegde Amy er zachtjes aan toe. „Het zal slijten."

Ze liepen terug naar de achterste stal, waar Ty net met Hank aan kwam lopen. Hank keek weer vaag om zich heen en hij zag er uitgeput uit.

„Volgens mij zit-ie nu toch wel stuk," zei Ty.

Ruth pakte haar vader bij zijn arm. „Je zult wel moe zijn, hè pap? Het was ook een hele reis."

Ze liep met hem terug naar de auto en hielp hem instappen. Daarna gaf ze Amy en Ty een hand. „Tot snel. En bedankt."

Amy en Ty gingen naar binnen, waar Jack pannenkoeken stond te bakken in de keuken. „Net op tijd! Roep de anderen ook even, want deze moeten opgegeten worden voor ze koud zijn!"

Lou en Ben kwamen gelijk aangerend toen ze hoorden dat er pannenkoeken waren.

„Het is een speciale verrassing," legde Jack uit, terwijl hij ze op tafel zette. „Amy en Ben doen het zo goed bij de wedstrijden, dat ik het tijd vond om een feestje te vieren."

„Ik heb helemaal niks gewonnen!" protesteerde Ben.

„Nou, inderdaad! Ik snap niet waarom Ben ook een pannenkoek krijgt," grinnikte Amy. „Hij is een paar weken geleden alleen maar kampioen in klasse L geworden..."

Iedereen lachte en vocht om als eerste de stroop te pakken te krijgen.

Amy vertelde wat er met Ruth, Hank en Boxer was gebeurd. „We moeten Boxer dus wel hier houden," zei ze tot slot. „Hij begint langzaam te wennen. Als iemand zin heeft om 's ochtends met hem naar de koeien te rijden, zou dat fantastisch zijn. Het is goed voor hem om aan verschillende ruiters te wennen."

Lou keek haar bedachtzaam aan. „Eigenlijk zou ik dat wel leuk vinden. Hij is heel braaf, toch?"

„Zo mak als een lammetje," zei Amy. Ze vond het een te gek idee van Lou. Ze zou dan zelf meer tijd hebben voor de andere paarden, en Boxer was een perfect paard om haar angst voor paardrijden te overwinnen.

„Laten we het dan om de beurt doen," stelde Lou voor. „Dan kan je om de dag lekker uitslapen, Amy."

„Ja, minstens tot zes uur!" lachte Amy. „Tjonge, wat een verwennerij, Lou!"

Toen de pannenkoeken allemaal op waren, stonden Amy en Ty op.

„Waar gaan jullie heen?" vroeg Jack.

Amy en Ty keken elkaar even aan. „Op bezoek bij Ty thuis," zei Amy. „Ik ga met z'n moeder kennismaken."

„Echt? Goed, zeg." Jack glimlachte warm. Zijn ogen twinkelden. „Hou haar in de gaten, Ty. Voor je het weet, kletst ze je moeder ook op een paard."

Ty grijnsde. „Alles is mogelijk. Zeker bij Amy."

Amy gaf hem een por. Ze werd helemaal warm als hij zulke lieve dingen zei, maar ze wist ook dat ze nergens zou zijn zonder alle liefde en steun van de anderen op Heartland. Samen konden ze alles aan. Welke problemen of valkuilen ze ook zouden tegenkomen, ze vonden altijd een oplossing om verder te kunnen gaan.

Een ander leuk paardenboek is:

VOLBLOED Wonder

Joanna Campbell

KLUITMAN

1

Amber Griffen stond op de veranda van het huis waar ze net was komen wonen. Ze keek uit over de golvende weiden en de omheinde paddocks van Townsend Acres. Het was raar om hier te zijn en te weten dat ze hier voortaan zou wonen.

De afgelopen maanden waren de akeligste geweest die ze ooit had meegemaakt. Eerst had er een virus geheerst op Edgardale, de kleine paardenfokkerij van haar ouders. Vijf van hun beste fokmerries en een veulen waren eraan doodgegaan. En alsof dat nog niet erg genoeg was, wilde hun verzekering de schade niet vergoeden. Ze moesten daarom Edgardale verkopen en de overgebleven paarden ook. Haar ouders hadden ergens anders werk moeten zoeken. Gelukkig was dat gelukt – als fokmanagers op stoeterij Townsend Acres.

Ze hoefde er maar aan te denken of de tranen sprongen Amber in de ogen. Townsend Acres was net zo mooi en goed onderhouden als Edgardale, en er liepen tientallen glanzende volbloeds in de weiden te stoeien. Maar het is Edgardale niet, dacht Amber, en de paarden zijn niet van ons! Ze waren allemaal van de eigenaar, Ray Townsend, en Amber wist zeker dat dat een afschuwelijke man was.

Ze beukte met haar vuist op de balustrade van de veranda. Hoe konden haar ouders Edgardale nu verkopen! Boos was ze, op alles en iedereen!

Met een diepe zucht liep ze het huis weer in. Haar ouders

zaten in de keuken koffie te drinken. Ze zagen er allebei moe en gespannen uit.

Misschien moest ze niet zo nijdig op hen zijn. Aan hun gezicht te zien voelden ze zich even ellendig als zij.

„Klaar voor de rondleiding?" vroeg haar moeder. „Ach, loop even naar boven om je broer en zus te halen."

Amber liep de trap op naar de eerste verdieping. „Caroline, Rory!" riep ze vanaf de overloop „Komen! We gaan."

Toen ze geen antwoord kreeg, liep ze naar de slaapkamer die ze met haar oudere zus deelde. Caroline was bezig kleren in de kast te hangen, met de radio keihard aan. Ze was een paar jaar ouder dan Amber – en belachelijk netjes. Er was al een lijn gespannen om de kamer in tweeën te delen. Carolines kant was al bijna opgeruimd. In Ambers deel stonden stapels dozen naast het bed te wachten om uitgepakt te worden. Haar bed was volledig bezaaid met paardentijdschriften.

Caroline keek om. „Ik ben bezig. En trouwens, ik hoef Townsend Acres echt niet zo nodig te zien."

„Ik ook niet," zei Amber, „maar we moeten hier nou eenmaal wonen. Ben je dan niet een kléín beetje nieuwsgierig?"

„Het kan nooit zo heel anders zijn dan Edgardale."

„Het is groter. Volgens pap hebben ze hun eigen trainingsstal."

„Nou en? Ik ben die paarden en alles wat ermee te maken heeft spuugzat! Ik blijf hier, mijn kleren opruimen."

Op dat moment kwam Rory, hun zevenjarige broertje, de kamer in rennen. „Ik ben er klaar voor!" schreeuwde hij. Hij was nog te klein om goed te begrijpen wat er op Edgardale was gebeurd. Zijn rossige haar stond recht overeind op zijn hoofd en er zat een vuile veeg op zijn wang. Caroline had hetzelfde rossige haar, alleen was het hare keurig gekamd. Amber had het donkerblonde haar en de blauwgrijze ogen van haar vader.

Rory rende op hen af en sprong op Carolines bed.

Caroline gilde en graaide een armvol kleren weg die ze had klaargelegd om op te hangen. „Ga maar op Ambers bed springen!" riep ze. „Dat is toch al een zootje."

Amber pakte Rory's hand beet en trok haar broertje van Carolines bed af naar de deur. „Kom op, Rory. Laat haar maar."

Hun ouders stonden beneden in de gang te wachten.

„Is iedereen zover?" vroeg haar vader. „Waar is Caroline?"

„Die wil niet mee," zei Rory.

„Caroline!" riep hun moeder kwaad. „We staan op je te wachten!"

Even later verscheen Caroline op de overloop. „Moet ik echt mee? Ik wil mijn spullen opruimen."

„Daar heb je straks nog tijd genoeg voor. Ik wil alles samen bekijken," antwoordde haar moeder. „We vinden het allemaal naar dat we moesten verhuizen, maar we moeten er het beste van maken. Misschien krijg je het hier nog wel naar je zin. Meneer Townsend heeft een zoon van jouw leeftijd."

„O?" zei Caroline. „Dat wist ik niet. Misschien zit hij wel bij me in de klas."

„Ik geloof dat hij naar een particuliere school gaat, maar ik weet wel dat hij heel veel met de paarden bezig is."

Amber merkte dat Caroline wat minder somber keek toen

ze achter de anderen aan naar buiten liep. Haar zus was nooit zo'n paardenfan geweest als de rest van het gezin. Zelfs toen ze nog klein waren, was Caroline al gek op kleren en deed ze niets liever dan zichzelf mooi maken. Als Amber op haar pony rondracete, zat Caroline in de tuin een modeblad te lezen of met nagellak te experimenteren.

Toen ze over het grind van de oprit liepen, rook Amber het jonge gras. De bomen langs de oprit en om de weiden kregen al blaadjes, en de omheiningen waren pas gewit. Waren we maar om een andere reden naar Townsend Acres gekomen, dacht Amber.

Haar vader liep met hen de eerste van de lange, goed verlichte stallen in. Het rook er naar paarden en vers hooi. Een heerlijke geur, waar Amber altijd van genoot, maar nu deed hij haar alleen maar denken aan de laatste keer dat ze in de stallen op Edgardale was geweest. Ze had toen afscheid moeten nemen van haar lievelingsmerrie, Stardust. Ze had Stardust bereden vanaf het moment dat ze te groot werd voor haar pony, Bo. Uren en uren hadden ze samen over het terrein rondgedraafd – en nu was Stardust van iemand anders! Amber kreeg een brok in haar keel. Gauw aan iets anders denken, anders ging ze nog huilen.

Ze keek naar alle drukte in de stal. Twee jonge stalknechten waren bezig de boxen uit te mesten. Ze schepten het vuile stro met mestvorken in kruiwagens en spoten daarna het betonnen middenpad schoon.

Nu zag Amber een man aan komen lopen. Hij gaf haar ouders een hand. Ambers ouders hadden al kennisgemaakt met het grootste deel van het vaste personeel. Haar vader stelde de man aan de kinderen voor als Bill Parks. Hij hield op Townsend Acres de drachtige merries in de gaten.

„Hallo, jongens," groette Bill, en hij vervolgde: „Er is vanochtend een mooi hengstveulen geboren. Misschien vinden jullie het leuk om dat te zien?"

„Nou en of."

Bill bracht hen naar een grote vierkante box. Toen ze over de onderdeur keken, zagen ze een pluizig, pikzwart veulen opgerold in het stro liggen. Terwijl ze stonden te kijken, liet zijn moeder haar hoofd zakken om hem een zacht duwtje te geven.

„Hij heeft al gestaan en een paar stapjes gezet," vertelde Bill. „Hij staat stevig op zijn benen en ligt nu alleen maar wat uit te rusten."

Amber tilde Rory op, zodat hij het beter kon zien. Wat waren die onhandige jonge veulens toch lief. Op Edgardale had ze altijd geholpen ze naar buiten te brengen als ze oud genoeg waren om met hun moeder mee te gaan. Maar nu kon ze het haast niet aanzien.

„O, kijk eens," riep Rory. „Hij gaat staan!"

Langzaam strekte het veulen zijn lange benen en probeerde wankel overeind te komen. Hij zwaaide heen en weer en viel bijna om, maar zijn moeder hinnikte bemoedigend, en even later lukte het hem om zijn benen stevig onder zijn kleine lijfje te krijgen. Daar stond hij nu, met zijn hoeven wijd uit elkaar. Hij keek trots naar zijn publiek en zwaaide triomfantelijk met zijn korte staartje.

Rory lachte verrukt.

„Haast niet te geloven, hè, dat zo'n bundeltje benen ooit

een sterk renpaard zal worden," zei Ambers moeder.

„Ik wou dat hij klein bleef," verzuchtte Rory.

„We zullen eens zien of we voor jou een echte pony kunnen vinden," beloofde zijn vader.

„Zoals Bo?"

„Ja, zoals Bo." Hij aaide Rory over zijn warrige haardos. „Kom, er is nog veel meer te zien. Ik kom straks terug, Bill, om de rest van de merries te bekijken."

Bill zwaaide hen na.

Ze liepen verder langs de stallen en de schuren. De zon scheen en het was warm. In de bomen floten de vogels en af en toe hoorde Amber van de weiden het luide gehinnik van een paard komen. Ze kwamen langs paddocks waar drachtige merries aan het grazen waren, en jaarlingen vrolijk over het gras galoppeerden. Ze schopten met hun benen in de lucht en haalden de gekste toeren uit.

In de hengstenstal kwamen ze Tom O'Brien tegen, de manager van de fokhengsten. Hij was kort en rond, en zijn blauwe ogen glommen als hij glimlachte. „De hengsten staan allemaal buiten. Kom maar mee."

Bij elke paddock waar ze langskwamen, vertelde Tom hoe de dieren heetten. Daarna liet hij hun de drie tophengsten van de stoeterij zien. „Dit is Fleetnight." Hij wees naar een pikzwart paard dat met zijn sierlijke hoofd stond te schudden. „En die vos is Barbero. Daarachter staat Townsend Pride. Die heeft een paar jaar geleden twee heel belangrijke races gewonnen: de Kentucky Derby en de Preakness. Hij is hier geboren en getraind."

Amber kon haar ogen haast niet van Townsend Pride

afhouden. Op Edgardale hadden ze geen hengsten gehouden, en haar blik werd naar hem toe getrokken, of ze wilde of niet. Hij was niet zo groot als de andere twee, maar zeker de mooiste, met zijn glanzende kastanjebruine vacht en alleen twee witte sokken om zijn voorbenen. Zijn manen en staart waren lang en zacht, en hij bewoog zo sierlijk als een balletdanser.

„Waarom staan die drie paarden apart?" vroeg ze aan Tom.

Hij lachte. „Ze zeggen wel dat paarden niet zo slim zijn, maar ze kunnen akelig veel manieren bedenken om in de problemen te komen. Als ze de kans kregen, zouden ze met elkaar gaan vechten. Daarom staan ze apart en houden we er voortdurend een oogje op. We hebben liever niet dat deze jongens iets overkomt."

Amber geloofde niet dat paarden zo dom waren als mensen wel eens dachten. Je moest ze alleen begrijpen en ze laten voelen dat je hun liefde en vertrouwen waard was – dan gedroegen ze zich prima. Maar ze kreeg geen tijd om ertegen in te gaan. Haar ouders liepen alweer door voor de rest van de rondleiding.

De stoeterij was veel groter dan Amber had gedacht. Op Edgardale was het altijd rustig geweest. Hier was het veel drukker. Dat had ze niet verwacht, en ze vond het ook een beetje eng. Zenuwachtig keek ze om zich heen toen ze bij de trainingsstal aankwamen. Zelfs vandaag, op zondag, kon ze iets van de opwinding en de uitstraling voelen die bij zo'n beroemde renstal hoorden.

Overal waren stalknechten bezig, die opkeken als Amber

en de anderen langskwamen. Sommige zaten buiten in de zon zadels te poetsen en borstels schoon te maken. Andere lieten glanzende volbloeds rondlopen in de schaduw van de uitlopende bomen. Alle paarden droegen een blauw-rode deken, met TA erop, de initialen van Townsend Acres.

Trainingsjockeys te paard reden af en aan tussen de stallen en de baan waar de dieren getraind werden.

„Ze zijn deze paarden op het renseizoen aan het voorbereiden," legde Ambers vader uit. „Een heel stel is al naar verschillende renbanen vertrokken, vooral de driejarigen die we voor de Kentucky Derby trainen. Ik weet dat er een paar paarden van meneer Townsend genomineerd zijn. Townsend Victor bijvoorbeeld, die heeft het vorig jaar heel goed gedaan."

Hij liet hun de twee grote stallen zien met de boxen voor de renpaarden, met daaraan vast de zadelkamers en het kantoortje van de trainer. In een andere stal lagen hooi en voer opgeslagen, en er waren grote schuren voor de gereedschappen en machines, waarmee de trainingsbaan en het terrein werden onderhouden. Helemaal achteraan lag een lang, laag gebouw, waarin het personeel dat op de stoeterij woonde zijn kamers had. Amber wist dat zij boften: zij hadden een heel huis voor zichzelf.

In de stallen werden de paarden verzorgd die eerder die ochtend al hadden getraind.

„Zitten hier ook beroemde renpaarden bij?" vroeg Amber, terwijl ze langs de boxen liepen.

„Vast wel, maar dat zou je aan Ken Maddock, de hoofdtrainer, moeten vragen," antwoordde haar vader. „Die moet hier ergens rondlopen. Weet je wat, laten we eens bij de trainingsbaan gaan kijken. Maar vergeet niet dat je moeder en ik niets met de training te maken krijgen – alleen maar met het fokken, net zoals..." Zijn stem stierf weg en hij keek even een andere kant op. Toen rechtte hij snel zijn schouders en liep verder.

De ovale trainingsbaan leek net een echte renbaan, maar dan kleiner. Er stond een lage afrastering omheen, met palen om de afstand aan te geven en een startbox aan het ene uiteinde van de baan. Buiten de afrastering stond een man. Hij had een stopwatch in zijn hand en zijn blik was strak gericht op een paard met ruiter op de baan.

„Dat is de trainer, Ken Maddock," vertelde Ambers vader. Ze bleven staan om te kijken. Het paard op de baan vloog langs de achthonderdmeterpaal en Ken keek op zijn stopwatch. De ruiter hield het paard in, keerde en kwam in draf terug naar de trainer.

„Niet slecht!" riep Ken. „Beter dan gisteren. Hoe voelde hij?"

„Prima! Klaar voor de rennen," riep de ruiter terug.

Amber bekeek eerst het paard, een vos, en toen de jongen in het zadel. Hij leek nog een tiener, niet veel ouder dan Caroline. Hij was vrij lang en dun en zag er wel leuk uit. Vanwege zijn helm viel hij verder niet zo in te schatten – behalve dan dat hij ontzettend goed reed. Amber was benieuwd wie hij was. Voor een echte trainingsjockey leek hij niet oud genoeg.

De jongen verliet met zijn paard de baan, steeg af en leidde het dier naar de trainer.

Die liet zijn hand over de voorbenen van het paard gaan en knikte. „Niet warm. Morgen laten we hem duizend meter doen." Hij keek op, zag de Griffens en stak zijn hand op ter begroeting. „De eerste dag, hè?" riep hij naar Ambers vader.

„Vanochtend verhuisd." Haar vader glimlachte. „Ik vond dat ik mijn gezin maar eens moest rondleiden. Je hebt nog niet kennisgemaakt met mijn vrouw, Elaine, die met me samenwerkt."

„Prettig kennis te maken." Ambers moeder gaf de trainer een hand.

„En dit zijn onze kinderen: Caroline, Amber en Rory."

De trainer knikte hen vriendelijk toe.

„Goed gereden," zei Ambers vader tegen de jongen die het paard vasthield. „En een mooie vos ook," vervolgde hij tegen de trainer. „Eentje van Townsend Pride?"

„Klopt," antwoordde Ken Maddock. „Een van onze meest veelbelovende tweejarigen. Brad werkt met hem. Je kent Brad toch, hè? De zoon van Ray Townsend."

„We hebben van hem gehoord, maar nog niet kennisgemaakt. Hoe gaat het, Brad? Ik ben Derek Griffen. Mijn vrouw Elaine en ik krijgen de leiding over de fokkerij."

„Hallo," zei Brad kort. Hij glimlachte niet en gaf ook geen hand. In plaats daarvan keerde hij hun de rug toe om zijn gesprek met de trainer voort te zetten. „Volgens mij kunnen we hem morgen wel vanuit de startbox proberen."

„Misschien," antwoordde de trainer. „We moeten het niet overhaasten. Breng hem maar naar de stal terug, dan kan een van de jongens hem laten rondlopen."

Brad steeg weer op en reed weg.

„Dat joch is behoorlijk fanatiek," zei de trainer, als verontschuldiging voor Brads gedrag. „En die vos is van hem. Hij traint hem zelf."

Amber vond Brad Townsend alleen maar onbeschoft. Wilde hij hun misschien even duidelijk maken dat zij alleen maar personeel waren en dat hij de zoon van de eigenaar was? Vanuit haar ooghoek zag ze dat Caroline juist een stuk vrolijker keek. Ze frunnikte aan haar haren en stond als een idioot te glimlachen. Het liefst had Amber haar een oplawaai gegeven.

Terwijl haar ouders nog even met de trainer praatten, keek Amber Brad na. Aan de manier waarop hij in het zadel zat, zag ze dat hij precies wist hoe goed hij reed. Ze had zin om hem na te roepen: „Wij hebben zelf een stoeterij gehad, hoor, opschepper!"

Toen ze afscheid hadden genomen van Ken Maddock en weer naar hun huis liepen, zei Amber hardop wat ze dacht. „Ik geloof niet dat ik hem aardig ga vinden."

„Wie?" vroeg haar moeder. „Meneer Maddock of Brad? Je moet niet zo gauw een oordeel over iemand hebben."

„Brad. En jij mag hem ook niet. Dat zag ik aan je gezicht."

Haar moeder probeerde de uitdrukking op haar gezicht te verbergen. „Nou, ik ben wel eens beleefdere mensen tegengekomen, maar toch mag je niet zo snel oordelen. Misschien was hij met zijn gedachten nog helemaal bij de rit."

„Die vos van hem had betere manieren."

„Amber," waarschuwde haar vader. „Ik denk dat we allemaal een beetje moe en gespannen zijn. Je moeder en ik gaan even met Bill praten en de merries bekijken. Jullie kunnen met ons meekomen of naar huis gaan. Ik heb gezien dat er achter het huis een mooie schommel staat, Rory."

„Ik wil met mijn vrachtauto's spelen, maar ik kan de doos niet vinden waar ze in zitten."

„Kijk eens in de garage," zei Ambers moeder. „Maar ik wil niet dat je het erf af gaat."

„Ik ga verder met uitpakken," kondigde Caroline aan, „in plaats van op hem te passen!"

„Als Rory niet luistert, stuur je hem maar naar de stal."

Caroline nam Rory mee naar het huis, en Amber volgde haar ouders naar de stallen waar de veulens geboren werden. De stallen riepen droevige herinneringen op, maar ze had ook geen zin om naar het huis terug te gaan. Als het aan haar lag, werden haar kleren nóóit uitgepakt.